De l'Enfance au Paradis

Du même auteur :

Ton Ange est Lumière
Les Éditions de Mine (Marjolaine Caron) - 1995

Je vous donne signe de vie
Éditions Marjolaine Caron - 2002

Ma vie après ta mort
Éditions Marjolaine Caron - 2005

La trilogie de Joshua:

Le Petit Livre de Joshua - volume I
Éditions Marjolaine Caron - 2004

La Lumière de Joshua - volume II
Christian Feuillette, Éditeur - 2006

Le Pont de Cristal - volume III
Éditions Marjolaine Caron - 2008

Cartes messagères :
Les Messages de Joshua
Éditions Marjolaine Caron - 2008

CD - Visualisation :
Une porte se ferme... une autre s'ouvre
AdA Audio Inc. – 2010

Distribué via Les Éditions Marjolaine Caron :

La Magie de la Vie
Auteure et éditrice : Sylvie Petitpas - 2006
Distribué par : Éditions AdA Inc.
Disponible en livre audio : AdA Audio Inc.

De la survie à la Vie... quelques petits pas
Auteure et éditrice : Sylvie Petitpas – 2009
Distribué par : Éditions AdA Inc.

CD – Méditations et programmations :
Un chemin de guérison en 7 étapes
Sylvie Petitpas
AdA Audio Inc. - 2010

MARJOLAINE CARON

De l'Enfance au Paradis

Éditions Marjolaine Caron

ISBN : 978-2-9807446-6-2

Dépôt légal : Bibliothèque nationale du Québec, 2011
Bibliothèque nationale du Canada, 2011

Graphisme et infographie : Christian Morency
Révision/correction : André Thibault - Patricia Bedwani
Impression : Imprimerie Lebonfon Inc.
Photographie page couverture : Marjolaine Caron

Éditeur : Éditions Marjolaine Caron
Site internet : www.marjolainecaron.com

Distribué par : Éditions AdA Inc.
1385, boul. Lionel-Goulet
Varennes (Québec) J3X 1P7
Téléphone : (450) 929-0296
Télécopieur : (450) 929-0220
Courriel : info@ada-inc.com
Site internet : www.ada-inc.com

Imprimé au Canada

À l'amour de ma vie, André...

Remerciements

Ma gratitude s'adresse d'abord à vous tous, **chères lectrices, chers lecteurs** pour votre soutien constant à mon oeuvre. Si je peux aujourd'hui continuer de vivre le bonheur de recevoir ces inspirations d'amour et de guérison, de les écrire et de les partager avec vous tous, c'est grâce à votre fidélité. Merci d'acheter ce livre, de l'offrir en cadeau ou de le suggérer à vos amis. Ainsi, ensemble, nous ferons tourner la grande roue de l'abondance dans nos vies.

Je rends grâce à la **Vie** pour la présence de ces êtres si précieux qui m'enveloppent d'amour, sur la Terre comme au Ciel, et qui ont contribué de près ou de loin à la réalisation de cet ouvrage :

Collette Gleeson, mon amie du Paradis ! Tu es au cœur de ce récit et ta présence illumine chaque page. Merci ! Tu nous manques, Coco… Je t'aime !

Christian Morency, graphiste et monteur. Ici se termine une autre belle aventure littéraire avec toi. Merci d'embellir tout ce que je te confie et d'être là en soutien pour mon œuvre sur tous les plans.

André Thibault, premier lecteur et réviseur. Merci pour ta présence à ce livre avec tant de cœur et de rigueur. Ton ouverture spirituelle, ta sensibilité et ton amour me comblent et me font grandir à tes côtés, jour après jour.

Patricia Bedwani, réviseure et correctrice. Je souhaite à tous les auteurs de pouvoir vivre une expérience littéraire et spirituelle aussi riche que celle que nous venons de vivre ensemble. L'impeccabilité et l'ardeur avec lesquelles tu as corrigé et peaufiné ce récit me rendent fière de le publier. Merci, également d'être la mère-veilleuse maman de mes petites-filles adorées.

À l'ange terrestre qui m'a enseigné une grande partie de ce que je vous livre ici. **Sylvie Petitpas**, mon amie précieuse et fée des cœurs d'enfants ! Merci de tenir la lampe de la joie allumée sur cette planète et de nous offrir ton accompagnement à travers tes livres et autres outils précieux. Tu es mon ange !

Francine Thibault, mon amie, ma belle-sœur. Pour ta confiance en mon œuvre et l'aide que tu m'offres toujours sans condition. Pour ta force de vivre et d'avancer vers le meilleur de toi-même… bravo et merci !

Ma sœur **Diane**. Ce livre m'a été inspiré en grande partie par ton courage et ton amour de toi-même, de la petite fille en toi et de l'artiste peintre qui font de toi la femme merveilleuse que tu es. Te voilà au bout de l'*Échelle d'Or*… à la portée de ton rêve !

Mon amie, **Loulou**. Nous parlons souvent, toi et moi, le langage de l'enfance et l'écho de ces petites voix rieuses me réchauffent le cœur et me rappellent le parfum du Jardin des Enfants de Lumière. Merci de ta candeur, ta générosité et de ton amitié si précieuse.

Renée Rivest, une amie que j'admire. Pour l'élan du départ, merci ! Pour oser être et vivre les grands vents du changement et pour toute la joie que tu mets dans mon coeur à chaque fois que j'entends ton rire contagieux... Merci !

Hélène Drainville, merci de tout cœur ! Un jour, tu m'as fait le cadeau de me permettre de franchir le voile de la mort et de goûter à l'essence si pure de ta petite fille. Je sais que tu reconnaîtras la lumière qu'elle a déposée dans ce livre en survolant le monde et en parsemant des cristaux de son étoile dans nos cœurs. Merci à toi, mon amie. Merci à l'enfant pour l'inspiration divine.

Le soutien et l'encouragement de mes fils **Charles-André** et **Alexandre** sont soulignés dans chacun de mes ouvrages simplement parce que leur amour est mon puits d'inspiration. Merci, mes enfants.

À **Florence** et **Marilou**, pour m'avoir choisie comme grand-maman... pour ensoleiller mes jours et apaiser mes nuits par votre lumière si pure, merci, mes anges. Je serai toujours là pour vous deux... ***De l'Enfance au Paradis***... et bien après !

Introduction

Tout a commencé en février 1999, alors que je donnais une de mes premières conférences, à Québec, devant une salle quasi vide. Durant la nuit, un besoin pressant d'écrire m'a réveillée. Mais, écrire quoi ? Je n'en savais rien, comme c'est souvent le cas en écriture inspirée.

À ma grande surprise, le message défilait à toute allure et en anglais. ***The Legend of the Golden Ladder*** me fut raconté en l'espace de quelques minutes, sans que je comprenne l'intention ou le message qui était là, pour moi, derrière ce récit fantastique. Ce n'est que plus tard que j'ai réalisé que l'histoire de cette petite fille et son rève de monter sur le toit d'un gratte-ciel de 77 étages m'ouvrait une porte sur la réalisation de mes rêves les plus chers. Aussi, elle m'offrait une rencontre au coeur de la vie qui précède la mort et qui la suit !

En 1992, voilà qu'au beau milieu de l'écriture de mon second ouvrage ***Je vous donne signe de vie***, une petite voix, celle de la petite fille en moi, me rappela que son histoire d'ascension dormait là, dans le recueil de mes messages. La traduction de ce texte s'est donc retrouvée à la page 109 du livre qui a connu un succès sans précédent.

Des centaines de personnes m'ont confié qu'à travers cette lecture, elles avaient rencontré la lumière en elles et puisé au cœur de leur potentiel divin pour vivre des guérisons, puis réaliser leurs rêves. C'est pourquoi j'ai repris contact avec cet enfant qui nous habite tous et que je lui ai prêté ma plume afin qu'il nous amène vivre ce merveilleux voyage au coeur de notre mission première... celle d'être heureux!

L'Ange et l'enfant nous invitent à partir ***De l'enfance au paradis*** à nous envoler dans le ciel de notre nouvelle vie. Pour bien prendre cet envol, je vous livre donc ***La Légende de l'Échelle d'Or*** et sa suite!

Bon vol... et... bonne lecture!

Marjolaine

Première partie

La Légende de l'Échelle d'Or

Il était une fois une petite fille qui vivait dans une grande ville. Elle caressait son rêve chaque fois qu'elle passait devant le gigantesque gratte-ciel de 77 étages: monter sur le toit de cet édifice qui se dressait fièrement dans toute sa splendeur. Elle se voyait tout là-haut, imaginant la perspective du monde de ce point de vue si élevé. Dans son cœur d'enfant régnait une paix incommensurable aussitôt qu'elle se visualisait si près du Ciel.

Par un doux matin de printemps, elle se retrouva seule devant le monument, se demandant par quel moyen elle pourrait bien arriver à ses fins. C'est alors qu'elle sentit une présence derrière elle. Un homme, penché au-dessus de son épaule, s'était accroupi pour tenter de voir ce qu'elle regardait avec tant d'ardeur et d'espoir. Surprise, elle se retourna brusquement pour lui demander:

– Qu'est-ce que vous faites là? Qui êtes-vous?

– J'essaie de voir ce que tu regardes là-haut avec autant d'émerveillement.

– Pourquoi vous le dirais-je?

– Eh bien ! parce que je suis un ange, ton ange. Et que je suis là pour t'aider à réaliser tes rêves.

– Tu ne peux pas être un ange, tu n'as pas d'ailes !

Embarrassé, il rétorqua promptement :

– Oh, mes ailes ? Voilà, c'est que je suis parti en vitesse ce matin et je les ai oubliées sur mon lit.

D'une moue sceptique, elle scrutait l'inconnu de la tête aux pieds, tentant de dénicher chez lui quelque chose de louche. Pourtant tout la portait à croire qu'elle pouvait lui faire confiance : « Il est beau et ses yeux sont remplis d'amour », pensa-t-elle. Elle posa tout de même une deuxième question :

– Elle est où ta maison ?

– Ça, je ne peux pas te le dire maintenant. Un jour peut-être, mais ce n'est pas important pour l'instant.

La réponse évasive de celui qui prétendait être un ange n'avait rien de rassurant. Grattant son petit crâne, elle entretenait son doute. Pouvait-elle faire confiance à cet ange sorti de nulle part ? « Et puis après, se dit-elle, il ne peut tout de même pas me voler mon rêve ». Elle se lança donc. De son doigt minuscule, elle pointa le toit du gigantesque bâtiment et lui avoua candidement :

– Mon rêve est de monter là-haut pour pouvoir gratter le ciel et jouer dans les étoiles !

À peine venait-elle de confier son secret à cet étrange personnage, qu'elle se retourna pour réaliser qu'il n'y était plus. « Zut ! Je l'ai ennuyé avec mon histoire... Alors tant pis ! »

Tout juste au bout de sa réflexion, elle le vit réapparaître tenant sous son bras une immense échelle en or massif. « Ouf ! Il fallait bien être un ange pour transporter cet escalier géant », pensa-t-elle. Il appuya solidement l'échelle sur le mur des 77 étages, se frotta les mains et d'un sourire inquisiteur, lui demanda :

– Alors... tu es prête ?

– Non, mais ça ne va pas ? lança-t-elle ébahie. Je ne suis pas capable de monter toutes ces marches, elles sont beaucoup trop hautes pour une petite fille comme moi !

– Mais cette échelle a été conçue spécialement pour toi, sur mesure. Et de plus, je serai là pour t'accompagner tout au long de ton escalade. Je la tiendrai bien solidement et sans relâche, afin que tu te sentes en sécurité. Tu peux me faire confiance.

– Et si je paralyse parce que j'ai trop peur de tomber ? Qu'est-ce que je vais faire ? Est-ce que je pourrai te crier à l'aide ? Viendras-tu me chercher ? Monteras-tu pour m'amener jusqu'en haut ou pour m'aider à redescendre ?

– Lorsque tu seras à mi-chemin de ton ascension, tu me perdras de vue et pourtant, je serai là. Tu ne m'entendras plus et j'aurai aussi peine à t'entendre même si tu cries. C'est à ce moment-là que tu devras faire confiance à l'échelle d'or. Ne regarde pas en haut, ni en bas, ni derrière toi.

Conserve précieusement ton énergie pour aller de l'avant. Surtout, n'oublie pas que cette *Échelle d'Or* est la tienne, construite juste pour toi. Allez! Accroche-toi petite... le Ciel t'appelle, le monde t'attend!

La chance inespérée d'accomplir son exploit se trouvait là, devant elle. Il y avait tout de même un risque énorme: celui de tomber. Mais si elle devait renoncer par peur de mourir, elle vivrait aussi une mort, celle de son rêve d'enfant.

Soudainement, une forte dose de courage monta en elle et fit rougir son joli minois. Vivement, elle sauta au cou de l'ange, le fixa droit dans les yeux et affirma:

– D'accord, j'y vais... je compte sur toi... mais ne me laisse pas tomber, hein? Car, si je tombe, n'oublie pas que je ne pourrai plus jamais te confier un secret.

Sur un doux sourire, il baissa les yeux et lui dit:

– Merci!

– Mais pourquoi tu me dis merci?

– Un jour, tu comprendras, belle enfant de lumière... vas-y! grimpe!

– Et toi? viendras-tu me retrouver là-haut?

– Dès que tu poseras le pied sur le toit, je te rejoindrai... lui promit-il, la main sur le cœur.

De pied ferme, elle attaqua la première marche et se mit à courir sur chaque barreau qui s'offrait à elle. L'ange s'écria:

– Oh! là... doucement. Ralentis. Il te reste plus de 700 barreaux à franchir. Ménage tes énergies, car plus tu monteras, plus ce sera difficile. Ne gaspille pas tout ton carburant à la ligne de départ.

Contrariée par les directives de l'inconnu, elle calma tout de même son ardeur et lui donna raison. Après tout, il ne fallait pas l'oublier... elle avait affaire à un ange!

Les 250 premiers barreaux se franchirent plutôt aisément, malgré la peur qui s'infiltrait insidieusement dans son esprit. Jetant un coup d'œil rapide vers le bas, pour bien s'assurer que l'ange tenait toujours sa promesse ainsi que l'échelle, elle fut réconfortée par son puissant regard admiratif et confiant. Encouragée, elle poursuivit sa montée.

Plus elle grimpait, plus l'air se refroidissait et plus la Terre s'éloignait. Son corps menu et fragile se mit soudainement à trembler l'obligeant à vérifier à nouveau la fidélité du soutien angélique. Tout ce qu'elle put apercevoir était une pastille noire pouvant ressembler au dessus de la tête de son protecteur. « Il est toujours là. Ça va bien, je vais très bien », se répétait-elle pour se convaincre.

La panique grandissait en elle au rythme affolé des battements de son petit cœur. Elle hurla:

– L'ange... l'ange? tu es là?

Sans réponse à son cri strident, elle s'arrêta net. Figée devant le 370e barreau, elle réalisa qu'elle avait perdu tous ses repères.

« Voilà, ça y est... je suis seule. » Comme une leçon bien apprise, elle répétait sans cesse les consignes de l'ange disparu de sa vue: « Ne regarde pas en bas, ni en haut, ni derrière toi. » L'inévitable vertige s'empara alors de chaque cellule de son corps. « Je dois réfléchir... respirer. Redescendre est aussi dangereux que de continuer à monter. Va de l'avant! Allez, un petit pas de plus, courage. » De sa faible voix éraillée, elle chantonnait en boucle, comme un mantra: « courage, confiance, j'ai peur, j'ai peur... courage, confiance, j'ai peur, j'ai peur! »

En tenant fermement les barres verticales au pied de l'échelle, l'ange pouvait capter toutes les vibrations de la fatigue, du froid et de la peur de sa petite protégée. Par la seule force de l'amour, il insufflait sa Lumière vers le haut afin que la rencontre du Divin se manifeste au beau milieu de l'ascension de l'âme.

Le vent s'élevait et le soleil qui avait réchauffé l'enfant jusque-là se dissipait rapidement derrière d'épais nuages. Le froid allait maintenant paralyser ses mains et la peur, elle, se cristalliser dans tout son être. Agrippée au barreau du milieu de sa montée, elle tenta une deuxième alerte, mais son cri s'étouffa dans un sanglot:

– L'ange... où es-tu? J'ai peur, j'ai froid, je ne peux plus continuer!

Sa tête tomba alors de fatigue sur la prochaine marche à gravir. Puis, elle entendit une voix qui n'était pas celle de l'ange; une voix d'une bonté infinie et d'une chaleur rassurante:

– Je suis là... accroche-toi à Moi... détends-toi... fais-Moi confiance.

À travers ses larmes, elle renifla et demanda timidement:

– Qui est là?

– Je suis ton échelle... le pont entre ton rêve et toi. Ouvre les yeux et regarde bien dans la barre dorée que tu tiens entre tes petites mains crispées. Que vois-tu?

– Je me vois, comme dans un miroir. Je vois mon visage.

– Alors, tu es en Moi et Je suis en toi. Nous sommes UN à l'intérieur de l'échelle. Je suis ce que les humains de ton entourage appellent Dieu. Je suis l'échelle d'or massif sur laquelle tu peux toujours compter. Je ne te laisserai jamais tomber. Toi, tu peux choisir de me lâcher, car je t'ai doté d'un libre arbitre dès ta naissance. Dans la chute, dans l'échec et les ténèbres, lorsque tu croiras avoir tout perdu, même la vie, je serai là pour te relever, pour t'accueillir et t'envelopper de mon Amour. Dans la mort comme dans la vie... JE SUIS. Tiens bon, tiens fort. Quoiqu'il advienne, tu peux toujours t'appuyer sur Moi. Va à ton rythme. Tu as l'éternité pour grandir, pour apprendre, pour te transformer. Ici, il n'y a ni compétition, ni course à la performance. Je t'ai doté de talents, de pouvoirs et je t'ai enveloppée de mes bénédictions. Monte mon Ange... monte! Une marche à la fois...

Bien qu'elle ne comprit que peu de choses à l'éloquent discours de l'échelle, la petite savait au fond de son être que cette voix était celle de l'Amour Divin qui la soutiendrait marche après marche et jusqu'au bout de son rêve.

Comme si elle s'adressait à ses propres gardiens de sécurité, elle ordonna à ses peurs de s'écarter et de lui céder le passage. En s'attaquant au prochain barreau, elle réalisa que ses petites mains tenaient l'échelle si fort, qu'elles étaient devenues toutes bleues. Elle comprit alors, qu'à tant forcer elle bloquait le canal permettant à l'ange de lui faire sentir sa présence. Elle relâcha doucement ses tensions avec la certitude qu'elle avait tout le soutien nécessaire de la Terre pour atteindre le Ciel.

Dès lors, les 330 marches restantes lui parurent plus aisées à gravir. La connaissance s'infiltrait dans son esprit. Elle n'avait plus d'âge. Son cœur d'enfant était parfaitement aligné dans le processus de l'ange en devenir.

Franchissant le dernier barreau de l'*Échelle d'Or*, l'enfant goûtait la pureté de l'air en s'émerveillant devant la vision si lointaine de la ville. Ouvrant très haut ses bras encore potelés, elle se jucha sur le bout des pieds, comme pour chatouiller le plafond du ciel. Dans un tourbillon d'éclats de rire, l'ivresse des hauteurs l'entraîna dans une valse soutenue par une douce musique paradisiaque. Elle reconnut alors le chœur des Anges du Paradis !

Brisant la magie de l'instant, voilà qu'une vilaine pensée de doute s'infiltra sournoisement dans son esprit : où était donc passé l'ange ? Scrutant les rues de la ville, se penchant imprudemment pour l'apercevoir au bas de l'échelle, elle ne vit rien... son sauveur avait disparu ! « Il m'a abandonnée, il m'a laissé tomber », se dit-elle profondément déçue. « Il m'avait promis de me rejoindre. Il doit venir me chercher. »

Dès lors, elle vit doucement se dessiner devant elle l'ombrage de deux ailes colossales. Heureuse et contrariée à la fois, elle se leva, posa ses mains sur ses hanches et en s'assurant de bien masquer sa joie, elle emprunta le ton impatient de ses parents :

– Où étais-tu toi ?

– J'ai dû me rendre chez moi pour récupérer mes ailes et te rejoindre, tu vois ?

– Et c'est où chez toi ?

Il prit délicatement la menotte encore glacée, l'amena doucement jusqu'à son cœur et déposa sa large main chaude sur celui de la petite fille.

– Ma maison, c'est ici, dans ton cœur et tu auras éternellement une place dans la demeure de mon cœur.

Fermant les yeux, il invitait l'enfant à l'imiter. Ce silence scellerait à jamais leur pacte d'amour.

– Maintenant, viens avec moi, nous allons survoler la ville pour que tu découvres qu'au-delà même de l'échelle, Dieu t'a donné des ailes !

Ses yeux angéliques posèrent un regard de compassion sur le visage épuisé de son ange. Contemplant la transformation qui s'opérait en lui, elle prononça ces mots d'une profonde sagesse :

– Je vais te dire ce que je vois avec mes yeux et mon cœur d'enfant. D'abord, tu m'as menti. Tu n'avais pas oublié tes ailes chez toi. Tu les avais perdues… n'est-ce pas ?

L'ange baissa humblement la tête, admettant ainsi son mensonge.

– Aussi, tu les as retrouvées en me donnant confiance en moi, en me soutenant jusqu'au bout de mon rêve. En soufflant dans mes ailes, tu as retrouvé les tiennes. Merci !

Et puis, dans un mouvement gracieux, l'enfant déploya ses ailes majestueuses, monta sur le rebord de la toiture du gratte-ciel et d'un regard vainqueur invita l'ange auprès d'elle. À son tour, elle lui demanda :

– Tu es prêt ? Allez, viens... allons distribuer des ailes !

Ensemble, ils s'envolèrent dans le ciel de leur nouvelle vie… de leur nouvelle mission !

Chapitre un

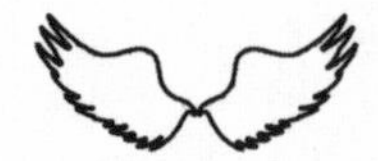

Le soleil commençait sa descente derrière la montagne lorsqu'ils s'élancèrent dans les rayons orangés du soleil. Tandis que l'ange planait majestueusement dans le ciel, la petite virevoltait de tous côtés, culbutant dans les airs, passant du vol en vrille au vol angulaire pour immanquablement se retrouver en chute libre et piquer du nez droit vers le sol. Ses éclats de rire s'étaient transformés en cris de détresse, faisant sourire le maître qui fit demi-tour pour remorquer son élève téméraire.

– Oh ! là... mais, dis donc, tu en fais des pirouettes !

À bout de souffle, elle se reposa quelques minutes sur le dos de l'ange.

– C'est magique ! Je veux encore voler, je... je... je suis capable. Regarde-moi...

– Non, non et non ! clama-t-il. Je ne tiens pas à assister à ton écrasement, vois-tu ? Le baptême de l'ange doit se faire dans les règles. Laisse-moi t'enseigner une première leçon, d'accord ?

– Je veux bien... mais fais vite, car la noirceur s'en vient et je veux savoir voler avant la nuit.

– Et pourquoi, dis-moi ?

– Parce que j'ai hâte de venir montrer à mes amis de l'hôpital que je peux voler. Cédric, Éloïse, Catherine et Sam… ils vont capoter !

L'ange cacha sa tristesse derrière un sourire muet. Cet instant de vérité s'imposait, quoiqu'il aurait bien souhaité le repousser encore et encore. Délicatement, il soulèverait le voile de la réalité :

– Tu vois, la première leçon consiste à apprendre les fonctions de l'atterrissage. Ainsi, si tu te trouves en situation d'urgence, tu pourras toujours descendre et te poser doucement au sol. Lorsque tu connaîtras ces rudiments, tu pourras t'élancer aussi haut et aussi loin que tu le souhaiteras dans le ciel de ta nouvelle vie.

– Oui, mais est-ce que je saurai trouver mon chemin dans le ciel ? C'est si grand et les routes ne sont pas dessinées comme sur la Terre. Comment pourrais-je retrouver ma chambre pour aller dormir ce soir ? Maman doit commencer à s'inquiéter et les infirmières aussi.

L'ange se gratta la gorge avant de se mordre l'intérieur de la joue et finit par renifler pour se donner du courage.

– Oh ! À propos…on ne s'est pas encore présentés, petite. Comment tu t'appelles ?

– Loulou… je m'appelle Loulou, mais ça s'écrit Lulu, parce que je suis Asiatique, comme tu as pu voir. Mes parents m'ont adoptée alors que j'étais encore bébé.

– Hum... est-ce que tu as des frères et sœurs ?

– Oui, j'ai une sœur et j'aurai bientôt un petit frère. Mais le bébé, lui, il ne viendra pas d'un autre pays. Son corps est en train de se former dans le ventre de Maman et quand il va être prêt, il va sortir… peut-être à Noël ! Papa dit qu'il va être notre cadeau à toute la famille.

– Eh ! ben... dit donc Lulou... c'est une belle nouvelle ça !

Elle riait de son rire en cascade, comme si des boules de lumière déboulaient dans son petit gosier.

– Pas Lulou... Lulu, mais avec des sons de « ou - ou ». Répète après moi... Lou…Lou !

De ses longues mains, l'ange forma un haut-parleur autour de sa bouche et s'écria :

– LU... LU... EST DANS LA LUMIÈRE.

À cet instant précis, tout s'arrêta ! En l'espace d'une fraction de seconde, l'ange Raphaël et la petite Lulu se tenaient par la main, arpentant le long corridor d'un grand hôpital pour enfants. L'écho de leurs pas retentissait au rythme des secondes qui les rapprochaient de la chambre 1021. Lulu regardait partout autour d'elle pour tenter de retrouver ses amis malades avec qui elle avait partagé les derniers mois de sa vie. Tous les enfants dormaient.

À chaque pas, Raphaël pouvait distinguer de plus en plus clairement le son des pleurs et des sanglots étouffés de ceux qui entouraient le corps de cette petite fille si attachante.

Soudain Lulu cria à Raphaël en le tirant par la manche de toutes ses forces :

– Regarde là-bas, c'est ma chambre ! Viens voir comme elle est belle. J'ai des beaux dessins sur les murs et tu pourras voir les photos ma famille. Et je crois même que personne s'est aperçu de mon absence. Je vais me glisser dans mon lit et demain tu reviendras me chercher et on retournera voler dans le ciel... d'accord ?

Raphaël s'arrêta, s'accroupit, saisit doucement et fermement les petites épaules de la fillette entre ses mains. Il lui murmura à l'oreille :

– Mon ange, petite Lulu d'amour, tu n'es plus de ce monde !

Surprise, elle s'écria :

– Quoi ? Qu'est-ce que tu veux dire ? Quel monde ?

Et tendrement, il lui demanda :

– Est-ce que tu te souviens de ta maladie ?

– Bien sûr, fit-elle en haussant les épaules. Je suis malade depuis que je suis née.

– Est-ce que Papa et Maman t'avaient expliqué que tu allais mourir ?

– Oui... mais pas tout de suite quand même ! Parce que moi je suis prête, mais pas eux. J'attends que maman soit plus forte et je veux que Papa comprenne que je serai toujours là quand même, parce que lui, il n'y croit pas. Maman, elle sait que je viendrai la voir. Sauf que sa peine serait trop grande et j'ai peur qu'elle perde son bébé.

– D'accord... tu as pensé à tout ça du haut de tes quatre ans, petite merveille ! Maintenant, écoute-moi bien. Tu sais, lorsque tu es arrivée au pied de ton gratte-ciel ce matin... eh bien, c'était pour venir réaliser ton rêve bien sûr, mais c'était aussi, pour monter au Ciel. Et tu as réussi ton ascension dans la Lumière.

– Wow ! Je suis bonne, hein Raphaël ?

– Tu es une championne !

Une larme de lumière coulait sur la joue droite de l'ange. Il ne pouvait s'empêcher de penser au chagrin des parents et de sa grande sœur. Lulu, un être de joie, de talents, de douceur et d'amour, allait maintenant rentrer au Jardin des Enfants de Lumière, privant ainsi ses parents et ses grands-parents qui l'adoraient, de sa présence angélique. « On a beau être un ange… mais voir partir un petit être aussi lumineux est si triste. Même Dieu doit pleurer… », se dit-il.

L'enfant posa sur l'ange un doux regard de compassion. Tendrement, elle s'approcha pour le consoler :

– Pourquoi pleures-tu ? Je suis là et mieux encore, je ne suis plus malade. Allez, viens… on va aller le dire à Maman, à Papa et à Sarah, ma grande sœur.

– Petit ange du paradis, je vais tenter de t'expliquer le plus simplement et le plus clairement du monde ce qui s'est passé aujourd'hui pour toi. Tu es morte, ma chérie. Moi je te vois parce que je suis de l'autre côté de la vie, avec toi. Ton papa, ta maman, ta grande sœur, tes grands-parents, toute ta famille et tes amis, eux, ne peuvent pas voir ton corps de lumière. Ils ne voient que ton corps décédé maintenant. Et lorsque ton corps sera en cendres, ils auront l'impression que tu n'existes plus.

Ses yeux bridés s'écarquillèrent. Ses grandes billes noires voyageaient de haut en bas, de gauche à droite, cherchant un point de repère entre ces deux mondes. Car oui, elle était bien vivante. Raphaël était réel. L'hôpital l'était aussi, autant que l'échelle. À ses yeux, tout était parfaitement en vie ! Que venait donc faire la mort dans cette merveilleuse journée ?

– Je veux voir ma maman. Viens avec moi, on va lui expliquer. Elle va comprendre, tu vas voir, elle est très intelligente ma petite maman d'amour !

– D'accord, je veux bien. Mais il ne faudra pas te décourager si elle ne t'entend pas. Il est certain qu'elle ne te verra pas. Au plus, elle va sentir ta présence, tes...

Elle le coupa net :

– Laisse-moi faire, tu verras bien. Je vais lui faire ma « caresse bonne nuit » et c'est sûr qu'elle va savoir que c'est moi, parce qu'y a juste moi qui lui fait cette caresse-là.

– Bien, mais quand même, prépare-toi. Tout le monde est rassemblé autour de ton corps et l'énergie dans la chambre doit être très lourde.

– Je sais, je sais... ce n'est pas la première fois que je meure, tu sais Raphaël !

L'ange haussa les sourcils, surpris de la vitesse à laquelle les mémoires de vies antérieures se réactivaient chez cet être de lumière. Malgré la maladie, son âme consciente n'avait pas eu le temps de s'endormir pendant ces quatre années d'incarnation. L'esprit de Lulu n'avait, en quelque sorte, jamais quitté l'autre monde.

Invisiblement, l'ange et l'enfant entrèrent dans la chambre. La mère épuisée avait longuement bercé le petit corps sans vie et encore tout chaud de sa fille. Quelques minutes seulement s'étaient écoulées depuis le dernier battement du cœur de l'enfant.

Pour la dernière fois, Élizabeth s'allongeait auprès de son trésor et murmurait en gémissant :

– Pourquoi ? Pourquoi elle ? ... Pourquoi nous ? Comment trouver un sens à la mort d'un enfant ? Comment accepter ? Je ne sais pas... je n'y arriverai pas. Je ne veux même pas essayer... c'est de la torture. Tu m'aideras mon ange, hein ?

Lulu s'approcha du lit et posa sa main de lumière sur le ventre de sa maman. Dès lors, un rayon doré transperça le rideau de la chambre, l'emplissant d'une paix indicible. Tout un chacun se regarda, émerveillé par l'énergie qui se transformait progressivement dans la pièce. Élizabeth ouvrit alors ses yeux brillants comme des diamants. De chaudes larmes glissaient sur son visage maternel pour se frayer un chemin jusqu'à sa poitrine.

Pendant ce temps, la petite avait pris le visage de sa mère entre ses menottes pour coller son front sur le sien et répéter leur rituel de tous les soirs :

– Bonne nuit Maman chérie, rêve aux anges, rêve à moi. Je t'aime très, très fort.

– Elle est là... elle est ici... ma Lulu ! Elle est avec moi, je la sens. Merci ! Je t'aime mon bébé d'amour...

Durant ces quelques minutes, Élizabeth accompagnait l'enfant vers le chemin du retour à la Source. En son sein, l'âme de Lulu passait le flambeau à son petit frère afin de brûler le karma négatif de la maladie et remplir de lumière chaque cellule du corps, de l'âme et de l'esprit en formation.

Une seule pensée jaillissait de l'esprit de la fillette se déposant droit au cœur de la mère et de l'enfant à naître : « Je t'aime... tu es amour... je t'aime... tu es amour... je t'aime... tu es amour. »

Au pied du lit, son papa Jean-François combattait. Chaque muscle de son corps s'était contracté pour éviter l'explosion. Il s'était empoigné l'aisselle d'une main et de l'autre il couvrait son visage, incapable d'assister à cette scène troublante. Puis, il osa entrouvrir ses doigts et mettre son courage à l'épreuve. Hélas...

Son cœur se cassa. Il soutenait son ventre à deux bras, comme pour retenir ses entrailles. Il poussa un cri. Les sanglots secouaient ses épaules. Ses jambes croulaient sous sa robuste charpente. Son ego se retirait enfin pour libérer le petit garçon en lui, qui tomba à genoux !

Raphaël transmit alors une vive énergie au cœur du père de Jean-François, lui donnant ainsi la force physique et le courage de relever son fils. Le père d'Élizabeth eut aussitôt le réflexe de lui porter main-forte.

Les deux hommes connaissaient la douleur d'un chagrin refoulé suite à la perte d'un enfant. Émile avait perdu son fils de 19 ans et Fernand, sa belle jeune fille de 17 ans. Tous deux, dans des accidents de la route.

Ils déposèrent Jean-François sur une civière en attendant que l'infirmière vienne lui administrer un calmant. Émile épongeait le visage anéanti de son fils, tandis que Fernand tentait de réchauffer ce corps tremblotant.

À mi-chemin entre Ciel et Terre, Élizabeth ne semblait ni surprise, ni inquiète. Cette crise inévitable se produisait pour le mieux et elle savait son amoureux entre bonnes mains.

Les deux grands-mères revivaient elles aussi la douleur viscérale de la mort d'un enfant. Silencieusement, elles pleuraient en priant.

Dès que l'ange eut terminé le grand nettoyage énergétique de la chambre, Lulu se plaça solennellement devant le lit, bénit ses petits pieds déjà refroidis et remercia son corps en glissant ses mains de lumière jusqu'à son front pour y déposer un tendre baiser de gratitude.

Raphaël fit de même et sans le savoir Élizabeth fut la première à les imiter. L'infirmière couvrit ensuite le corps de l'enfant d'un drap blanc et tous sortirent, dévastés, de la chambre où les Anges viendraient maintenant cueillir l'âme.

L'ascension prendrait trois jours au cours desquels l'esprit, dépouillé du corps et de toutes formes d'ego, pourrait vivre la mort consciemment en jetant un dernier regard sur le court métrage de cette vie.

***

De sa lumière, Lulu assista à ses obsèques en soutenant l'immense chagrin de sa famille. Sa présence illuminait la nef d'une lumière blanche, alors que sa marraine, Julie, lui rendait un hommage édifiant. Touchée par ces adieux remplis d'amour, la petite applaudissait de toutes ses forces en espérant que sa tante adorée puisse entendre l'écho de sa joie et de sa gratitude. Au moment où elle vit Julie sourire à travers ses larmes, l'enfant comprit que c'est dans l'ombre que les humains peuvent apercevoir la lumière des défunts et dans le calme de l'esprit qu'ils captent les sons de l'invisible.

Pendant ce temps, Raphaël se tenait debout à la sortie de l'église. Lorsque le cortège eut défilé devant lui, il prit sa petite protégée par la main et ensemble, ils fermèrent la procession. Dehors, un soleil éclatant brillait sur l'infinie toile bleue du firmament.

Animée d'un amour inconditionnel, Élizabeth avait préparé une cérémonie d'envol pour le grand départ de leur petite fille. Jean-François ouvrit la porte de la cage et la maman tendit un doigt à la colombe qui s'y percha nerveusement. Dans un geste de libération, elle leva son bras vers le Ciel et prononça l'adieu ultime à son enfant :

– Vole mon amour, vole… je t'aime tellement que je te laisse partir.

Les ailes collées au corps, l'oiseau frétillait comme si le signal d'envol ne lui était pas complètement parvenu. Élizabeth plongea alors son regard de compassion dans les yeux embués de Jean-François.

Étouffant un sanglot, il inspira une grande bouffée de courage et brisa le pénible silence :

– Vas-y mon bébé, va vers la lumière ! Aide-moi à accepter ton départ, d'accord ? Tu seras toujours ma princesse.

Il joint alors sa main à celle d'Élizabeth et Sarah souffla de toutes ses forces dans les ailes de la blanche colombe.

L'Esprit de l'enfant s'envola gracieusement au cœur de l'éternité, dessinant dans le firmament les arabesques de trois anneaux, symbole de l'Unicité du corps, de l'âme et de l'esprit.

Des hommes, des femmes et des enfants aux regards brillants de tristesse et d'émerveillement venaient d'assister à la manifestation de la toute-puissance de l'amour le plus pur… celui de la vie au-delà de la mort !

Chapitre deux

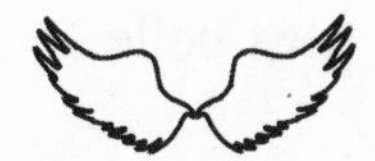

De l'autre côté de la vie, Raphaël et Lulu se retrouvèrent sur le toit du gratte-ciel, là où ils s'étaient donné rendez-vous après les funérailles.

Assise sur le rebord de la toiture, balançant ses petits pieds dans le vide, elle se tourna vers l'ange qui venait tout juste de se déposer près d'elle :

– Dis-moi, Raphaël... est-ce que tu es bien mon ange gardien ?

– Oui, je t'ai servi d'ange gardien sur la Terre et tout au long de ton ascension.

– Et maintenant, est-ce que nous avons une mission toi et moi ?

– C'est-à-dire que nous pouvons choisir de faire équipe et de partir en mission.

– Wow ! C'est chouette ! Et c'est quoi notre mission ?

– Hum... comment te dire ? Tu te souviens, sur ton lit d'hôpital, lorsque tu avais très mal et que ta maman essayait de te soulager ? Ensuite, l'infirmière est venue pour...

Et la petite enchaîna de plus belle…

– Oui, après ça, quand le calmant avait fait effet et que je fermais mes yeux, j'entendais Maman parler aux anges et à Dieu. Et un soir, je crois que c'est juste avant notre rencontre toi et moi, elle a dit dans sa prière : « Mon Dieu, si tu ne peux plus rien faire pour notre petite Lulu d'amour, si son heure est venue, je t'en prie, viens la chercher. » Et là, elle avait pleuré très fort et Papa était fâché parce qu'elle avait dit ça à Dieu. « Je ne peux plus la voir souffrir comme ça Jean-François, je l'aime trop pour la retenir ici », qu'elle avait dit à Papa.

– Et toi, comment tu te sentais en entendant tout ça ?

– Eh ben, pour moi c'était pas facile. Même si je savais que la vie continuait au paradis, j'étais aussi attachée à mes parents et à mes amis. Je ne voulais pas leur faire de peine. Mais, par exemple, je n'avais pas peur de mourir.

– Et puis, qu'est-ce qui est arrivé ensuite ?

– Alors là, Papa est parti, car il avait trop de chagrin et il était très en colère contre Dieu. Il ne voulait plus entendre prononcer son nom. Maman croyait que je dormais et elle a pris ma main et elle a collé sa joue contre la mienne et elle m'a dit un secret : « Mon amour, je suis là, je serai toujours là pour toi, où que tu sois. Je veux te dire que je fais tout ce que je peux pour te guérir et pour que tu sois heureuse. Mais si tu n'en peux plus ma chérie, vas-y… demande aux anges qu'ils viennent te chercher et monte très haut dans le ciel pour jouer dans les étoiles avec tes amis. Ne t'inquiète pas pour ton petit frère qui s'en vient, ni pour Sarah, pour Papa ou pour moi… OK ? On va prendre bien soin de nous, c'est promis.

Je veux faire un pacte avec toi, mon trésor. Si tu choisis de partir et que telle est ta destinée, tu viendras me faire un petit coucou lorsque tu seras prête, d'accord ? Et lorsque tu seras rendue dans la lumière, je ne te demande pas de régler nos problèmes, mon ange. Viens juste nous faire des p'tits clins d'œil et nous réchauffer le cœur de ton amour si pur. » Et là, elle avait éclaté en sanglots.

– Tu te souviens de chaque parole que ta maman t'a dite ce soir-là ?

– Chaque mot est gravé dans mon cœur pour l'éternité, Raphaël. Aussi, j'ai compris que Dieu tenait sa promesse dans le cœur de Maman. Je me souviens de Son message, tu sais.

– Quel message ? Celui qu'Il t'a donné avant que tu meures ?

– Non, pas avant que je meure… avant que je naisse. Il m'avait dit : *« Je serai là pour toi, comme un ange après la nuit. Je serai là pour toi, un ami qui suit ta vie… pour tout ce temps qui va, de l'enfance au paradis. Je serai là pour toi. »* [1]

Raphaël savourait la pureté du langage enfantin. Ces mots simples, ces conversations transparentes, exemptes de preuve et d'analyse intellectuelles remplissaient son cœur angélique d'espoir pour l'humanité.

– Que s'est-il passé alors ?

1 QUILICO, Gino. *Je serai là pour toi*, 2002

– Ce soir-là, avant de m'endormir, j'ai demandé à mon ange gardien : « Mon ange, aide-moi à faire ce choix difficile ». Et, très tôt le matin, je suis sortie de mon corps et je suis venue au pied du gratte-ciel.

Elle s'arrêta, songeuse. Dans son esprit, le chemin vers le retour à la Source se dessinait tranquillement. Tout s'éclaircissait !

– Et puis ? demanda Raphaël.

– Et puis tu es arrivé, tu as déposé l'échelle sur le mur de mon rêve et je suis montée au Ciel !

Un silence sacré s'imposait. L'ange ferma les yeux laissant rouler de chaudes larmes d'émerveillement sur son doux visage. Les yeux pétillants de bonheur, Lulu l'enveloppait d'amour.

Après quelques minutes, elle demanda à mi-voix :

– Tu m'as toujours pas dit c'est quoi notre mission…

– Notre mission ? C'est simplement d'être présents et à l'écoute de ceux et celles qui nous demanderont, le soir avant de s'endormir : *« Mon ange, aide-moi… »*.

Les deux êtres de lumière s'adossèrent en position de lotus et méditèrent pendant toute la nuit pour se lancer au petit matin au-dessus de la ville, du pays, du monde entier.

Chapitre trois

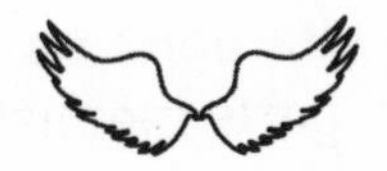

Il était trois heures du matin lorsque le tenancier de l'hôtel força l'homme ivre mort à monter dans un taxi.

– À quelle adresse ?

– Au cimetière ! hurla le client. On va en finir avec cette chienne de vie. Quand ils m'auront trouvé, il leur restera juste à creuser un trou et m'enterrer.

Un rire sarcastique étouffé de sanglots secouait son corps enivré, dévoilant une âme meurtrie. Le chauffeur, qui avait pourtant vu pire, était resté bouche bée. La souffrance de l'inconnu le bouleversait.

– Monsieur, calmez-vous et donnez-moi votre adresse à la maison. Je ne vous laisserai pas commettre…

– Aie ! Ça mon vieux, ça te r'garde pas, OK ? J't'ai dit… au cimetière et c'est là qu'on s'en va. Décolle !

Inquiet, Larry enleva sa casquette, se gratta, la remit et démarra. Son client s'était écrasé dans la portière déblatérant à mi-voix un discours décousu. Tentant de l'endormir, le propriétaire du taxi empruntait tous les détours possibles. Il ne lui aura fallu que 10 minutes pour que son plan réussisse.

Le bon samaritain s'arrêta donc en bordure de la route et soutira délicatement le porte-monnaie d'entre les doigts de son passager pour y trouver une carte d'identité.

En replaçant le tout dans la poche de la veste de M. Allen, consterné, il scrutait le visage défait du jeune homme. Les images du plus grand drame de sa vie défilaient obscurément dans son esprit. Il se revoyait, à peine deux ans auparavant, retirant le corps de son fils de 24 ans, de la voiture dans laquelle il s'était asphyxié. L'homme au cœur d'or ne s'était pas encore pardonné de n'avoir pu éviter cette tragédie. Certes, il connaissait les problèmes de drogues de Zachary, mais jamais il n'aurait cru qu'un jour son fils commettrait l'irréparable.

Décontenancé devant ce nouveau scénario de désespoir, le père endeuillé se dit : « Mais, où donc s'en vont nos enfants ? Ma foi, qu'avons-nous fait ? Que quelqu'un m'aide à comprendre ! »

Arrivé à l'adresse de son client, il sortit de la voiture l'homme toujours endormi, l'accrocha à son cou en le traînant péniblement jusqu'à l'entrée principale.

De l'invisible, les deux anges prêts pour leur première mission, aidaient Larry à s'étirer pour atteindre la sonnette.

Derrière la porte, morte d'inquiétude, Élizabeth s'attendait au pire.

– Madame Allen ?

– Ah ! Mon Dieu, Jean-François… pas encore ? Est-il blessé ?

– Non, madame. Tout va bien maintenant. Il s'est endormi dans mon taxi. Il est ivre mort.

– Mais ne restez pas là, laissez-moi vous aider. Entrez. Tenez, étendez-le ici sur le divan. Je suis tellement désolée. Pauvre monsieur…

Honteuse, épuisée et découragée, la future maman s'effondra en larmes. Plongé dans le profond sommeil de l'ivresse, Jean-François survivait, inconscient de la souffrance qu'il répandait tout autour de lui.

Sarah, agrippée aux barreaux de l'escalier, assistait impuissante à l'effondrement de la cellule familiale. Du haut de ses sept ans, elle ne voyait pas comment elle aurait pu sauver sa maman qui semblait dépérir de jour en jour. Elle en voulait à Lulu, à son père et à Dieu. À eux trois, ils avaient tout détruit et ils allaient finir par faire mourir sa mère.

Relevant la tête, Larry aperçut la fillette terrorisée :

– Tout est correct, petite. Il n'y a pas de danger. Ton papa n'est pas malade… il dort. N'aie pas peur, tout ira bien.

Tentant de la rassurer, il s'approcha doucement, mais Sarah s'enfuit à toute allure, claqua la porte de sa chambre et se jeta sur son lit en pleurant.

Élizabeth se dirigea vers l'escalier :

– Laissez… je vais m'en occuper. C'est très difficile pour elle, vous comprenez ?

Larry acquiesça d'un signe de tête compatissant.

– Bien sûr, madame. Je comprends.

En passant devant le chauffeur, la femme indignée se redressa. Elle aurait voulu qu'il sache qu'ils étaient des gens bien, que Jean-François était un bon papa et que le bébé en route ne manquerait de rien. Elle aurait aimé lui parler de sa petite Lulu qui lui manquait atrocement. Elle aurait souhaité lui confier qu'elle perdait la foi, qu'elle glissait dans l'abîme de la dépression, qu'elle se sentait démunie devant la souffrance de Sarah et la détresse de son amoureux. Le malaise sans cesse grandissant, dans toute sa fierté, Elizabeth répliqua sèchement :

– Ne me dites pas que vous comprenez monsieur. Vous ne pouvez pas comprendre, puisque vous ne savez rien de notre histoire. Que connaissez-vous de la mort d'un enfant, de la dépression qui s'en suit et du mari qui dérape ? »

Elle fouillait de rage dans les poches de la veste de son mari, espérant qu'il se réveille pour faire face à sa propre honte. Se braquant froidement devant le chauffeur ému, elle ouvrit le porte-monnaie et lui tendit un billet de 50 $:

– Voilà, gardez la monnaie.

C'est à ce moment-là que la lumière de Raphaël se glissa dans l'esprit de Larry. Repoussant doucement l'argent, d'une voix chaude et calme, il répondit :

– Oh ! Mais vous ne me devez rien, madame. Ce n'est pas un hasard si votre mari est monté dans mon taxi ce soir. Je suis là si vous avez besoin de parler. Vous avez raison, je ne connais pas votre histoire, mais si vous voulez, je peux vous raconter la mienne. On a peut-être besoin l'un de l'autre... croyez-vous ?

Désarmée par autant de bonté et de douceur, humblement, elle s'excusa :

– Pardonnez-moi. Je suis tellement inquiète et à bout de nerfs. Asseyez-vous, je vous en prie. Je suis désolée. Je monte border ma petite Sarah... je suis à vous dans quelques minutes. Ne partez pas... s'il vous plaît.

Pendant qu'Élizabeth réconfortait sa fille, Larry prenait soin du père souffrant. Après lui avoir retiré sa veste et ses chaussures, il s'était penché sur lui comme s'il avait été son propre fils.

Devant cette scène troublante, Élizabeth s'arrêta au beau milieu de sa descente dans l'escalier.

– Voilà... disait-il, en le couvrant de son manteau. Maintenant, tu vas devoir demander de l'aide mon garçon. Tu es en train de te détruire. Tu vas tout perdre : ta merveilleuse femme, tes enfants, ta maison, ton travail... ta vie. Tu dors, mais moi je m'adresse à ton âme et je sais que tu m'entends. Par amour pour toi-même d'abord et pour tous ceux qui t'aiment tant, prends-toi en mains. Il faut te soigner. Ton père ne sait peut-être pas comment te le dire, alors je me permets de le faire en son nom : « Je t'aime mon garçon ».

Le cœur rempli d'espoir, Élizabeth croyait rêver. À pas feutrés, elle s'approcha des deux hommes et posa délicatement sa main sur l'épaule de Larry.

– Mais, comment avez-vous pu trouver les mots si justes ?

– Parce que ces mots, madame, je n'ai pas pu les dire à temps à mon fils, voyez-vous ?

Croyant voir Zachary, il regardait douloureusement ce beau jeune homme en secouant la tête, il répétait :

– Si j'avais su… Mon Dieu, si j'avais su !

Il cala alors son visage cuirassé aux creux de ses longues mains fines et s'abandonna une fois de plus à ce cruel chagrin.

– Mon bon monsieur, je suis désolée. Je vous demande pardon. Je n'aurais pas dû vous…

À travers un sourire noyé de larmes, il l'interrompit doucement :

– Ne soyez pas désolée… je vous comprends parfaitement, chère enfant. Votre blessure est à vif et votre réaction est bien légitime. Votre mari est un homme bon et il vous aime infiniment, j'en suis certain. Je connais la souffrance d'un être dépendant de l'alcool et de la drogue. Mon fils n'avait que 24 ans, madame… 24 ans et plus d'espoir, plus de vie en lui. Il s'est enlisé dans l'enfer de la drogue. Pourtant, j'ai fait tout ce que j'ai pu pour l'aider à s'en sortir, mais il ne voulait pas de mon aide… ni de l'aide de personne d'ailleurs.

– Que c'est triste. Je ne sais pas quoi vous dire, monsieur… ?

– Larry.

Elle lui tendit la main :

– Élizabeth… enchantée.

– Jean-François a besoin d'aide. Sans vouloir vous inquiéter, je dois vous le dire ; il a des idées noires et lorsqu'il est en perte de ses facultés, il pourrait poser le geste fatal, vous savez. C'est ce qui est arrivé à mon fils ; sous l'effet de la drogue, il a trouvé le courage de passer à l'action.

– J'y pense chaque jour. Je vis constamment dans la peur et l'angoisse de le trouver mort quelque part. Je veux l'aider, mais il refuse et il n'a confiance en personne. Je me sens si impuissante… si maladroite.

Larry fut lui-même surpris de la question qui sortit spontanément de sa bouche :

– Avez-vous demandé l'aide de vos anges et de votre petite fille ?

– Aux funérailles de Lulu, on a lancé une colombe dans le ciel pour lui dire qu'on la laissait partir. Je ne veux pas la retenir maintenant.

– Vous ne la retiendrez pas en lui demandant d'envelopper son papa de Lumière. Mon fils m'a aidé et m'aide encore à accepter son départ. À travers des gens qui croisent mon chemin, il me parle. Je ne lui demande pas de régler mes problèmes, mais simplement de me donner la foi, le courage et la force de me relever.

Perchée sur le manteau du foyer, Lulu applaudissait les paroles du sage. Tendrement, elle murmurait à l'oreille de sa maman chérie : « Il a raison maman, c'est vrai. Je peux l'aider papa et je vais le faire. Repose-toi... je suis là. »

De son côté, Raphaël inspirait Larry afin que celui-ci puisse bien soutenir et éclairer Élizabeth. Tranquillement, les traits de la mère endeuillée s'adoucissaient, ses yeux retrouvaient leur brillance. Comme si l'espoir se transformait en une guérison possible. Elle était là, sa Lulu ! Elle ressentait indéniablement sa présence.

Songeuse, elle examinait l'étranger à la peau noire, se demandant si cet homme était bien réel.

– Ce que vous avez fait pour nous ce soir est digne d'une mission angélique, cher monsieur.

Il sourit tendrement et pointa du doigt le ventre d'Élizabeth.

– Je crois que ce petit ange qui va bientôt naître m'a amené ici. Cet enfant a besoin de la présence et de l'amour de son père. Aussi, il ressent chacune de vos émotions. Vous devez le rassurer... préparer sa venue.

Il inclina respectueusement la tête et demeura silencieux pendant quelques secondes avant de continuer :

– Je dois vous avouer que je soigne aussi mon âme et que je parle à mon fils à travers Jean-François. Lorsque je m'adresse à cette nouvelle vie en vous, c'est un peu comme si je bénissais l'enfant que j'ai perdu. Je vous remercie de me permettre d'entrer dans votre demeure et de partager avec moi votre immense chagrin. Gardez espoir, Élizabeth... tout va s'arranger. Mettez cette guérison entre les mains du Divin. Vous verrez...

Doucement, il se leva, mit son manteau et sortit de sa poche une carte qu'il lui tendit :

– Voilà, remettez ma carte à votre mari. Attendez le bon moment. Il mentira en vous disant qu'il ne veut rien savoir de moi. Ne le contrariez pas. Dites-lui simplement qu'il a perdu quelque chose dans mon taxi. Quelque chose que je dois lui remettre en mains propres.

Le regard intrigué d'Élizabeth demandait une explication tandis que le clin d'œil du sage sollicitait sa confiance. Avant de monter dans son taxi, il se retourna vers Élizabeth qui se tenait sur le seuil de la porte.

– Demander du soutien est un geste d'humilité. Acceptez l'aide de l'au-delà, Élizabeth. Ils sont avec vous. Ils ne vous lâchent pas... Au revoir.

Médusée, Élizabeth referma la porte derrière cet ange terrestre. Tendant l'oreille, elle crut entendre une voix d'enfant en haut de l'escalier. Elle monta doucement et colla son oreille contre la porte de la chambre de Sarah.

– Alors, tu reviendras me voir ? Quand ? Surtout le soir avant de m'endormir ? D'accord. Et est-ce que je peux dire à maman que tu viens me voir ? Pourquoi pas tout de suite ? Ah ! Bon. Oui, j'aime ça. Merci Lulu. Mais est-ce que tu pourrais t'occuper des parents aussi, parce que moi, je ne sais plus quoi faire... j'ai tellement peur de les perdre. Papa boit de plus en plus et ils se chicanent fort des fois. Ah ! Tu le sais ? Hum... ouais, mais s'ils n'entendent pas les anges ? D'accord, je ne m'inquièterai plus. Aïe ! Lulu, est-ce que tu t'amuses dans les étoiles ? Ah ! C'est chouette... raconte ! OK... je ferme. Mais tu reviendras, hein ? C'est vrai ? Tu seras toujours là pour moi ? Merci Lulu, tu es mon ange. Bisous, bisous. Je t'aime.

Élizabeth s'était laissé glisser le long du mur pour s'asseoir par terre et goûter cette paix profonde que lui procurait la présence de Lulu auprès de sa grande sœur.

***

Le lendemain soir, Larry fut réveillé par la sonnerie du téléphone.

– Bonsoir, monsieur Benson ? Je m'appelle Jean-François Allen. Vous avez quelque chose pour moi ? demanda-t-il froidement.

– Oui, mon garçon. Quelque chose de précieux. Demain, 8 h au Café Croissant ?

La curiosité l'emporta sur la méfiance.

– D'accord, j'y serai. Au revoir.

Ce matin-là, assis devant le mystérieux personnage, Jean-François sentit soudainement monter en lui un vif sentiment de honte qui le fit rougir.

Embarrassé, il demanda :

– Hum... Alors, j'aurais perdu quelque chose dans votre taxi ? Je ne vois pas ce que ça pourrait être. Il ne me manque rien. Et quelque chose de précieux en plus... je ne me souviens pas d'avoir...

– Tu ne peux pas te rappeler ce que tu as perdu, mon ami.

« Oh ! là ... on se calme *l'ami*... », se dit Jean-François en fronçant les sourcils.

Ayant bien perçu la résistance de son protégé, Larry poursuivit d'un ton plus ferme :

– Vois-tu, ce que tu as laissé dans mon taxi la nuit dernière et ben, c'est quelque chose que tu ne savais même plus que tu possédais. Et pourtant, c'est ton bien le plus précieux. C'est ta dignité... tu as perdu ta dignité, mon garçon.

Jean-François se sentit brusquement acculé au pied du mur. Choqué, il se cramponna à sa chaise et d'un ton menaçant lui dit :

– Aie ! de quoi tu t'mêles, le vieux ? À c'que je sache... j't'ai rien d'mandé ?

Alors qu'il s'apprêtait à se lever, Larry l'attrapa fermement par le poignet et du regard, lui ordonna de se rasseoir.

Ne lui épargnant aucun détail, il lui décrivit l'état de bassesse dans lequel l'alcool l'avait entraîné la veille. Il se fit un devoir d'illustrer au jeune père de famille le triste portrait du chemin ténébreux qui se dessinait devant lui et de la souffrance dévastatrice qu'il causait à ses proches. Il termina en lui déroulant la liste de ses talents et de ses bénédictions, pour revenir habilement répondre à sa question :

– Tu as raison, tu ne m'as rien demandé et qui suis-je pour te faire la morale, sinon un père qui a perdu un fils qui te ressemblait. Je ne connais pas ton parcours, ni ce qui te pousse à te détruire, Jean-François, mais vois-tu il y a une petite voix qui me demande de t'aider.

Larry avait prononcé ces derniers mots sans avoir la moindre idée d'où venait cette *voix d'enfant*.

« Oui, oui... continue. Tu y es presque... dis-lui que c'est moi, *sa princesse* », lui souffla Lulu à l'oreille.

Abasourdi par cette petite voix insistante, il se risqua :

– N'as-tu pas demandé à ta petite fille de t'aider à accepter son départ ?

Cette fois, Jean-François se leva et recula d'un bond faisant basculer sa chaise. Pointant Larry du doigt, au bord des larmes, il criait :

– Aie ! T'as pas l'droit. Qu'est-ce que c'est que ce complot ? C'est Élizabeth, c'est elle... non, mais c'est pas vrai ! Imposteur, vous n'êtes qu'un...

Le serveur s'approcha tentant de calmer les ardeurs de la conversation pour le moins houleuse.

– Ça ira... excusez-nous. Tout est correct. Ne vous inquiétez pas... je m'en occupe..., s'empressa Larry.

– Vous êtes sûr?

– Oui, oui... ça va aller, merci! Désolé...

Larry releva la chaise et nettoya la table.

– Jean-François, je t'en prie... assieds-toi. Je vais t'expliquer.

Tiraillé entre l'envie de fuir et le besoin de connaître le fond de l'histoire, fulminant, il se rassit:

– T'as avantage à avoir une maudite bonne explication...

– Larry. Appelle-moi Larry.

Lulu s'empressa d'inspirer à nouveau son messager:

– Élizabeth ne m'a parlé de rien en ce qui concerne la mort de votre petite fille. Tout ce que je sais, c'est que vous avez perdu un enfant. Je ne connais rien de votre histoire. L'information me vient d'une petite voix enfantine et elle me pousse à te poser une autre question. Est-ce que tu permets?

Intrigué, Jean-François devait en avoir le cœur net :

– Qu'est-ce que c'est?

– Aurais-tu aussi supplié ta fillette en lui demandant:

« Mon ange, aide-moi à arrêter de boire ou si tu peux pas, viens me chercher... je n'en peux plus ? ».

Comment cet étranger pouvait-il répéter mot à mot la prière qu'il avait adressée à sa fille le matin même à son réveil? Affolé, Jean-François se prit la tête entre les mains cherchant une explication plausible. Larry ne pouvait pas connaître l'ultime confidence faite à Lulu quelques heures auparavant. À moins que...! Il se pencha au-dessus de la table pour lui demander à voix basse:

– Est-ce que j'ai parlé à Lulu dans votre taxi la nuit dernière ?

– Non, pas du tout. Tu m'as ordonné de te conduire au cimetière pour en finir avec ta chienne de vie et je ne t'ai pas écouté. Tu t'es endormi et à ce que je sache, tu ne t'es pas réveillé avant ce matin. Je me suis fait un devoir de te ramener à la maison. Pour moi, c'était comme si j'avais pu reconduire mon fils à temps, avant que...

Et c'est alors que Larry lui raconta le triste parcours de son fils Zachary de la dépendance jusqu'au suicide. Il lui confia l'immense chagrin, la culpabilité et les remords qui le hantaient depuis. Les deux pères endeuillés pleuraient. Pendant que leurs blessures se frottaient, de l'au-delà, deux enfants les soignaient.

– Mais qui vous a parlé de ma prière à Lulu ? Personne ne peut savoir...

Le mystérieux messager déposa sa main sur la main tremblante de Jean-François et lui répondit:

– C'est elle !

– Elle ? Mais, où ça ? Quand ?

– Ici, maintenant !

– Voyons... mais qu'est-ce que c'est que cette histoire ?

Et dans un geste lent et précieux, Larry sortit de la poche de sa veste un crayon qu'il déposa sur le napperon de papier. Guidé par la lumière de Lulu, il dessina deux grandes ailes en forme de cœur et il signa :

Je suis là pour toi Papa. Je t'aime.
Ta princesse pour l'éternité XXX

Larry plia soigneusement le message et le déposa au creux de la main de Jean-François, intrigué :

– Merci, mon garçon. Maintenant, remplis ton cœur de cette grâce et soigne-toi.

Le messager se leva, tapota l'épaule de Jean-François et se retira, laissant derrière lui un homme entre les mains de la Lumière de son petit ange !

Chapitre quatre

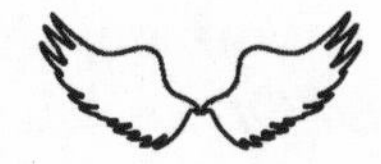

Raphaël et Lulu s'envolèrent alors vers leur quartier général. Ils avaient convenu qu'après chaque intervention angélique, ils se retrouveraient sur le toit du gratte-ciel. Dans sa fougue et son énergie, rapide comme l'éclair, Lulu s'était déposée la première attendant impatiemment l'ange qui, d'un calme solennel, profitait pleinement de son vol au cœur de l'éternité.

– Enfin, te voilà !

Souriant, il s'assit auprès de Lulu et l'enveloppa de son aile encore toute fraîche.

– Ferme les yeux maintenant et écoute la Voix qui s'élève doucement dans ton cœur.

Dans son agitation, Lulu aurait préféré parler qu'écouter ; elle avait tant de questions à lui poser, tant de joie à partager !

– D'accord, mais...

– Chuuuut ! Écoute d'abord, nous parlerons ensuite...

Raphaël posa délicatement son index sur les lèvres du petit ange qui ferma instantanément les yeux. Après quelques minutes, elle reconnut la Voix qui s'était adressée à elle au beau milieu de l'*Échelle d'Or*...

– Anges de paix et de bonté, mon Amour vous guide. Soyez bénis !

Pendant ces quelques secondes, les deux anges savouraient l'extase de la présence divine en eux.

Lulu se tourna ensuite vers son maître, ouvrit un œil et chuchota :

– Tu crois que ça veut dire qu'on a bien accompli notre première mission ?

Les yeux mi-clos, Raphaël sourit avant de répondre :

– Je crois que nous avons servi la Lumière en créant des ponts entre vous tous afin que la magie de l'amour agisse au cœur de chacun.

– C'est à ça que servent les anges ?

– Les anges servent à protéger, à guider, à aimer ceux qui leur demandent de l'aide.

– Alors, si on a bien fait notre travail auprès de ma famille, ça veut aussi dire que tout sera parfait pour eux et que rien de mal ne pourra leur arriver, n'est-ce pas ?

– Eh ! bien, tu vois Lulu... ce n'est pas tout à fait ça. Lorsque l'on vient en aide à ceux qu'on aime, on doit savoir accepter que le résultat ne nous appartienne pas, qu'il soit bon ou mauvais à nos yeux. Chaque être humain est doté d'un libre arbitre. Parfois, les gens ne veulent pas guérir et refusent l'aide que Dieu leur envoie, même celui des anges et des défunts. C'est pour cela qu'il est très important que nous attendions que nos protégés nous demandent notre aide.

– Ah, oui! Comme la prière de papa ce matin! Alors, comme il m'a demandé mon aide, c'est sûr qu'il va arrêter de boire et qu'il va prendre soin de lui et de notre famille, hein?

– C'est-à-dire que c'est un premier pas vers sa guérison. Maintenant, est-ce qu'il acceptera de franchir la deuxième étape qui est celle d'accepter de l'aide terrestre pour soigner son corps, son âme et son esprit? La dépendance à l'alcool n'est que la pointe de l'iceberg, vois-tu? Ton papa est très exigeant envers lui-même. Ses blessures sont grandes et il devra admettre que seul, il n'arrivera pas à guérir toutes ces parties blessées en lui. Les sentiments de colère, de peine et de honte qui le poussent à se détruire viennent de loin, tu sais.

– Tu veux dire que ce n'est pas juste mon départ qui le fait souffrir comme ça?

– Ta mort est l'ultime blessure à son âme en ce moment. Ce qu'il faut comprendre c'est qu'elle fait remonter tous les deuils non résolus depuis sa naissance. À partir de l'absence de son père absorbé par le travail, de la dépression de sa mère, en passant par la mort de son frère, de sa première peine d'amour, de la difficulté à concevoir un enfant et, pour finir, par ta mort... tous ces deuils ont été vécus avec les sentiments de rejet, d'abandon et d'impuissance. Aujourd'hui, Jean-François s'abandonne et se rejette.

Profondément peinée de réaliser qu'elle n'avait pas le pouvoir de *sauver* son papa et par conséquent toute sa famille, Lulu sombra dans une profonde nostalgie.

– Alors, ça sert à quoi de devenir un ange si on ne peut pas guérir nos amours de la Terre ?

Raphaël tenta de consoler son élève :

– Je comprends ta déception, Lulu. Mais sache que nous pouvons faire mieux encore que de les sauver. Nous pouvons les aider à rapatrier leurs pouvoirs de choisir, de guérir et d'aimer. N'est-ce pas merveilleux ? Souviens-toi toujours mon ange, que ce n'est pas moi qui t'ai amenée ici, au bout de ton rêve. Je t'ai présenté l'*Échelle d'Or* et je t'ai offert mon accompagnement... c'est toi qui a fait tout le reste !

Malgré tous les efforts de l'ange pour lui faire voir sa Lumière, une petite voix de culpabilité continuait de l'accuser :

– J'aurais pu penser à mes parents et demander la guérison plutôt que de ne penser qu'à moi et à mon rêve de monter au Ciel.

– Petite merveille, écoute-moi bien ! Ton âme est venue s'incarner sur cette Terre avec Sa mission et le grand plan était dessiné ainsi pour toi. La Voix qui t'a amenée vers le haut est celle du Divin. Tu as rempli ton contrat avec Dieu et tout est parfait. Ce qui semble aller mal sur la Terre pour les tiens va pourtant très bien... crois-moi !

– Mais pourquoi toute cette souffrance dans le cœur des humains ? C'est pas leur faute s'ils savent pas qu'on est là, qu'on vit dans leur cœur et que l'amour peut tout guérir.

– Tu as raison. L'ignorance et le manque d'amour sur la Terre sont à la source des souffrances et des guerres. Dès la conception, l'amour est la semence essentielle à l'être pour vivre heureux et grandir dans la confiance et la joie. Tout se joue à la naissance et à la mort. La transformation se passe entre les deux lignes... la ligne de départ et celle de l'arrivée.

Lulu réfléchissait. Après un long silence, comme si elle avait oublié que Raphaël était avant tout son ange gardien, elle sentit le besoin de lui raconter l'histoire de sa naissance :

– Moi quand je suis née, j'ai été séparée de ma mère dès que je suis sortie de son ventre. Je ne l'ai jamais vue et il n'y avait personne pour me dire *je t'aime* ni pour me bercer ou pour me rassurer. J'ai cru mourir dès les premiers jours. On m'avait abandonnée dans une immense salle où des dizaines de bébés pleuraient avec moi. Alors je suis devenue très malade. La maladie a attiré l'attention sur moi et j'ai commencé à recevoir des soins. À défaut de tendresse et d'amour, des soins c'est bon pour le cœur quand même.

Raphaël, attendri par ces tristes souvenirs, l'amena doucement à faire le lien.

– Alors, tu vois mon ange, les souffrances prennent racine au moment où l'amour fait défaut dans la vie de l'être humain.

– Pourtant, le jour où Papa et Maman sont venus me choisir, c'était tout plein d'amour dans leurs yeux et mon âme riait de bonheur à l'idée de sortir de cet enfer de glace. Pourquoi je n'ai pas guéri à partir de ce jour-là ? Je sais maintenant que mes parents se sentent coupables de ma mort, comme si leur amour n'avait pas suffi à me redonner la santé.

Par la vision de Son grand plan, Dieu contemplait en silence la beauté et la grandeur de Ses créatures !

– Quelle intelligence ! reprit Raphaël. Tu vois, la réponse à cette question est en toi. Tu es la seule, au plus profond de ton âme, à connaître le but de ton incarnation. Ce qui apparaît comme une mort aux yeux des humains représente souvent une guérison pour l'âme. Ton départ déclenche de grandes prises de conscience sur la Terre et engendre immanquablement une chaîne de guérisons pour tous les gens qui ont croisé ta route.

Songeuse, Lulu revoyait des scènes de vies antérieures au cours desquelles elle avait répandu la souffrance et le manque d'amour. Sans jugement cette fois, elle observait le long chemin parcouru jusqu'ici.

Intuitivement, Raphaël capta la prise de conscience de l'ange à ses côtés et baissa respectueusement la tête. Reconnaissant sa responsabilité face à la souffrance de Lulu et de tous les membres de sa famille, il saisit cette opportunité de participer au grand nettoyage collectif.

C'est alors qu'il adressa ces simples phrases au Divin en lui :

– Je suis désolé. Pardonne-moi. Merci. Je t'aime.[2]

---

2 Citation inspirée de la méthode de l'Ho'oponopono extraite du livre *Zéro Limite*

Sans hésiter, l'esprit conscient de Lulu répéta après lui :

– Je suis désolée. Pardonne-moi. Merci. Je t'aime.

En écho à leur prière, la Voix de l'*Échelle d'Or* répondit :

– JE T'AIME !

Chapitre cinq

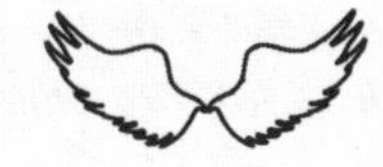

Il était presque minuit lorsque Sarah se préparait à relire la lettre qu'elle venait d'écrire à Lulu dans son journal intime.

Petite sœur chérie,

Je t'écris pour te dire que tu me manques terriblement et que notre petit frère est arrivé. Il s'appelle Thomas. Tu le sais peut-être déjà. Je sais pas. Je sais plus si tu es là et si tu m'entends. Au début tu venais me parler le soir avant que je m'endorme, mais tu viens plus. Pourquoi? J'aimerais que tu me fasses un petit coucou au moins pour que je sache si tu es toujours là pour moi, comme tu me l'avais promis.

Tu sais Lulu, c'est dur pour moi. Je t'ai vu partir et j'ai vu nos parents pleurer très souvent. Maintenant, je vois le bébé qui arrive, papa qui rencontre un médecin chaque semaine pour une thérapie, maman qui est fatiguée, mais aussi très heureuse de son premier bébé et moi, je sais plus si j'ai une place ici. Je sais que papa et maman font très attention à moi, mais au fond de mon cœur j'ai plein de peine et de colère. Je voudrais que tu reviennes et que le bébé retourne d'où il vient. Ça me fait du bien de te dire ça à toi, parce que je sais que tu es un ange et que tu me comprends. C'est pas que je ne l'aime pas, c'est que je n'en veux pas. Maman a encore beaucoup de peine de ton départ et là, il faut qu'elle s'occupe d'un bébé jour et nuit. Il va la faire mourir, elle aussi.

Une chance que j'ai mes amies à l'école et mon professeur qui m'aime beaucoup. Tout le monde me dit que je suis une petite fille très courageuse et raisonnable. J'ai pas le choix. Les parents ont assez de misère comme ça. Toi, tout le monde t'aimait parce que tu te plaignais jamais et que tu souriais tout le temps. Tu es chanceuse d'être au ciel, toi Lulu. Ici, c'est pas drôle, tu sais.

Mon ange, aide-moi !

Sarah, ta grande sœur qui t'aime et qui s'ennuie à mourir.

Bisous, bisous et bonne nuit. XXX

La fillette s'empressa de sécher ses larmes pour ne pas abîmer son précieux journal. Elle barra la serrure en prenant bien soin d'enfiler la clé dans la chaîne qu'elle portait à son cou en permanence et glissa le recueil de ses confidences sous son oreiller.

Pendant ce temps, assise au pied de son lit, Lulu veillait sur son idole. Sarah allait bientôt avoir huit ans et elle débordait de santé et de talents. En plus d'exceller en classe, elle suivait des cours de patin artistique en vue de réaliser son rêve : devenir une grande patineuse olympique ! Sa beauté, son charisme et son intelligence faisaient l'envie de ses petites amies et remplissaient de fierté le cœur de ses parents. Bien que son entourage lui manifestait tout cet amour, Sarah vivait au plus profond de son âme la peur effroyable d'être abandonnée à nouveau. Personne ne pouvait mieux la comprendre que sa petite sœur de l'au-delà. Elles avaient toutes deux vécu l'abandon dès la naissance et voilà que le départ de Lulu et l'arrivée de Thomas réanimaient en elle cet horrible sentiment.

La naissance et la mort se croisaient au cœur de sa famille. La joie et la peine se relayaient sans cesse autour de la table, créant beaucoup de confusion dans son esprit.

Debout à la tête du lit, Raphaël veillait aussi. Témoin de la sensibilité de Lulu face à la détresse de sa sœur, il pourrait la guider dans son intervention. Silencieux, il attendait ses questions.

Les coudes posés sur les genoux et le menton enfoui aux creux de ses mains, inquiète, Lulu observait le sommeil agité de Sarah.

– Dis Raphaël, est-ce qu'un enfant peut faire une dépression ?

– Je dirais plutôt que l'âme de Sarah est dépressive. Et cette dépression est même nécessaire à sa guérison.

– Mais comment faire pour l'aider ? Elle est trop petite pour comprendre ce qui lui arrive. Tu sais, ce qui m'inquiète, c'est qu'elle m'envie d'être morte.

– Sarah porte encore en elle la flamme de vie que j'appelle la grâce. Aussi, elle réussit à exprimer sa détresse et à nommer ses sentiments tels qu'elle les ressent. Je ne m'inquièterais pas si j'étais toi.

Impatiente et empressée de venir au secours de sa sœur, elle insista :

– Oui, mais qu'est-ce qu'on peut faire pour l'aider ? Elle a prononcé les mots magiques *Mon ange, aide-moi...* il faut faire quelque chose maintenant.

– Qu'est-ce que tu crois qui aiderait vraiment Sarah, ici et maintenant ?

– Hum... elle m'a demandé de lui faire signe de ma présence, mais est-ce suffisant pour soigner son âme dépressive ?

– Peut-être pas, mais c'est tout de même un premier pas vers l'espoir... qu'en dis-tu ?

– Je la réveille, alors ?

– Mais non, laisse-la dormir. Son corps constamment en survie est épuisé. Il doit récupérer.

Lulu haussa les épaules et d'une moue désemparée, admit :

– Bon... eh bien ! Je ne sais pas quoi faire moi.

– Quel était votre moment préféré ensemble ? reprit Raphaël.

– C'était quand Sarah me lisait l'histoire avant le dodo et qu'à la fin on se couchait en cuillères et qu'elle me chantait une berceuse pour m'endormir.

– Alors tu vois, ta grande sœur est venue te lire une parcelle de son histoire ce soir. Et si tu te glissais en cuillère…

Les yeux de Lulu brillaient comme des diamants. Imitant la démarche gracieuse de son chat, elle se faufila sous la doudou et se blottit contre Sarah qui, sans se réveiller, l'enveloppa tendrement de ses bras tout chauds.

Graduellement, le taux vibratoire de la fillette s'élevait, permettant à l'âme de quitter le corps pour faire le plus beau des voyages en astral, guidé par la Lumière de Lulu.

De son côté, Raphaël, ébloui par la lumière ascendante des deux âmes, recevait la permission du Divin afin d'opérer une intervention sur l'enveloppe physique de Sarah en nettoyant toutes les cellules infectées par les traumatismes de la naissance jusqu'à ce jour.

Un grand travail énergétique s'amorçait pendant que de l'autre côté de la vie, les deux petites sœurs se retrouvaient au Jardin des Enfants de Lumière.

Émerveillée, Sarah criait de joie :

– Lulu, mon petit ange, ma petite chérie… tu es là ! Tu n'es plus malade… tu es vivante !

Les fillettes riaient, chantaient et dansaient allègrement dans la lumière ! La joie de ces retrouvailles comblait leurs cœurs d'enfants. Rien ne pouvait venir briser ce moment d'extase si réel, si vivant.

Puis, soudainement, Sarah s'arrêta net et se mit fébrilement à ausculter ses jambes, son torse, sa tête, ses bras. Un rire nerveux dans la voix, elle cherchait à comprendre :

– Je suis vivante ? Mais non... je suis au paradis avec Lulu, donc je suis morte ? Qu'est-ce qui se passe ? Ah! Je rêve alors ?

Lulu l'approcha calmement et prit les mains de sa sœur dans les siennes pour l'inviter à s'asseoir près d'elle dans l'herbe tendre. Son regard angélique plongea dans celui de Sarah :

– Tu ne rêves pas et tu n'es pas morte. Tu as franchi le mur de l'invisible. Tu es ici avec moi, avec ton corps astral, dans le Jardin des Enfants de Lumière.

– Mais je veux rester, moi. Et je veux amener Papa, Maman et même Thomas. C'est le paradis ici, Lulu et on doit tous s'en venir ici avec toi...

– Le paradis est en toi, Sarah. Tu repartiras d'ici et tu l'amèneras dans ton corps physique, dans tes cellules, dans ton âme et tu le répandras partout sur la Terre.

Sarah se concentrait pour comprendre le langage de Lulu qui n'était plus celui d'une petite fille de quatre ans, mais bien celui d'un ange, un vrai ! Subjuguée, elle secouait la tête en espérant ne jamais sortir de ce qu'elle croyait encore être un rêve fantastique.

Lulu poursuivait son discours de haut niveau de conscience :

– Le but de l'incarnation n'est pas d'amener les humains au paradis, mais bien d'amener le paradis aux humains. Notre âme est une parcelle du Divin. L'ego sépare l'âme de sa source créatrice. Seul l'amour peut nous rassembler dans l'Unicité. Je suis le créateur de mon paradis ou de mon enfer... selon Ma volonté !

Étourdie par les propos de sagesse de sa petite sœur, Sarah croyait perdre la boule !

– Je ne comprends pas ce que tu dis, Lulu. Cesse tes histoires et reviens avec moi sur la Terre pour montrer à Papa et à Maman que tu es bien vivante. Au moins, comme ça, on pourra reprendre notre vie normale.

– Je ne reviendrai pas sur Terre dans ce corps qui est mort. Je ne reviendrai plus dans cette personnalité. C'est le deuil que vous avez à faire. J'ai une vie nouvelle. Vous avez une vie nouvelle. Il faut maintenant profiter de toute la vie qu'il y a dans la mort.

Sarah se mit alors à pleurer à chaudes larmes. Préoccupée jusque là par la détresse de ses parents, elle ne s'était pas permis de vivre son immense chagrin.

– Pleure ma chérie... pleure ! C'est triste de perdre une petite sœur. J'ai pleuré moi aussi en montant l'*Échelle d'Or* et Dieu a pleuré avec moi.

Puis, elle se tut pendant un long moment, laissant Sarah vider son cœur brisé.

– Ne t'inquiète plus pour les parents, Sarah. Et ne doute surtout pas de leur amour pour toi. Tu es ici pour toi. Pour faire le plein d'amour et pour te rappeler.

– Me rappeler quoi ? dis-moi, demanda-t-elle en reniflant.

– Te rappeler qui tu es et d'où tu viens. Te rappeler…

Sur ces mots, un bruit de pas attira l'attention de Sarah derrière elle. Se retournant lentement, elle aperçut une silhouette d'une beauté inouïe. Une femme aux yeux bridés et aux cheveux couleur d'ébène s'arrêta à trois pas de la fillette extasiée.

La mystérieuse déesse s'accroupit devant l'enfant, prit son doux visage entre ses mains de lumière et déposa un baiser sur son front. Sans que ses lèvres ne s'animent, une voix retentit de son cœur maternel :

– L'heure de ta mort n'est pas venue, mon ange. Aujourd'hui, c'est le premier jour de ta nouvelle vie ! Viens, je vais te remettre au monde.

Dans un geste de bénédiction, elle déposa ses mains de lumière au-dessus de la tête de Sarah :

– Pardonne-moi. Je t'aime !

Pendant ce temps, Lulu s'était envolée pour rejoindre Raphaël et assister à la renaissance de Sarah sur Terre.

La femme qui avait jadis donné la vie à Sarah et qui avait dû, bien malgré elle, l'abandonner à la naissance, ramena le corps astral de la fillette dans son lit et déposa délicatement l'âme dans son enveloppe physique en murmurant à son oreille :

– *Pour tout ce temps qui passe de l'enfance au paradis..., je serai là pour toi !* [3]

Avant de s'élever dans la lumière, elle se tourna vers Lulu et Raphaël, joignit ses mains en position d'Anjali au-dessus de sa tête et s'inclina respectueusement :

– Namasté ![4]

Radieux, les deux anges l'imitèrent :

– Namasté !

Dans la grâce de cet instant béni, Lulu reconduisit paisiblement l'âme de Sarah là où se trouvait sa demeure ; sur la Terre, dans son lit, dans son corps. Raphaël prépara le retour de l'Être en plaçant ses mains en coupe au-dessus de la tête de la fillette dans le même geste que posent les sages-femmes pour accueillir l'enfant qui naît.

À ce moment précis, Sarah vivait une renaissance dans la certitude d'être divinement aimée, guidée et protégée. La réunion du corps, de l'âme et de l'esprit se déroulait en parfaite harmonie.

---

3 QUILICO, Gino. *Je serai là pour toi*, 2002

4 Namasté est une salutation largement utilisée en Inde ou au Népal qui se traduit ici par : « Le divin en moi accueille le divin en vous ».

Le lendemain matin, Élizabeth se glissa doucement sous les couvertures pour envelopper le corps tout chaud de sa petite princesse. Un doux rayon du soleil levant illuminait le regard radieux de Sarah. Ses yeux mouillés et son léger sourire rapportaient un message céleste du Jardin des Enfants de Lumière. En silence, le langage du cœur opérait sa magie !

Après une longue et douce étreinte, Sarah bondit de son lit, courut vers la chambre de Thomas et s'installa confortablement dans la berceuse.

– Maman, est-ce que je peux bercer mon petit frère ?

– Mais bien sûr, ma chérie !

– Aussi, tu peux nous laisser seuls ?

Le cœur gonflé d'émotions, Élizabeth déposa le bébé encore endormi dans les bras de sa sœur aînée et sortit sur la pointe des pieds. En refermant doucement la porte, elle laissa couler quelques larmes de bonheur sur ses joues rougies : « Il s'est passé quelque chose durant la nuit… quelque chose de beaucoup plus grand que nous ! », se dit-elle en remerciant son petit ange du paradis !

Chapitre six

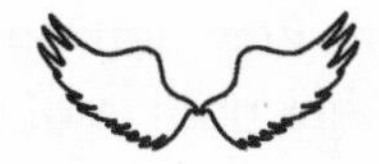

Cette fois, Raphaël fut le premier à atterrir sur le toit du gratte-ciel. Lulu n'arrivait pas à quitter sa grande sœur et son petit frère. Bien qu'elle fût heureuse de son intervention angélique, un grand chagrin s'était déposé dans son cœur d'enfant; celui de ne plus vivre sur la Terre, dans une enveloppe physique.

Raphaël avait vite fait de détecter ce sentiment qui pesait lourd sur l'âme du nouvel ange. Lorsqu'elle replia ses ailes et s'approcha de lui, il pencha la tête et lui ouvrit les bras:

– Viens... raconte-moi ce qui se passe.

Timidement, elle baissa les yeux. Raphaël releva doucement son menton et plongea son regard droit dans le sien.

– Tu as le droit de pleurer même si tu es un ange, tu sais. La tristesse est un sentiment aussi noble que la joie. Elle nous accompagne dans nos chemins de vie sur la Terre comme au Ciel. Tu traverses toi aussi un passage de deuil, Lulu.

Les sourcils froncés, elle lui jeta un regard douteux.

– Oui, mais Maman me disait qu'au Ciel il n'y a pas de souffrance, ni de peine; que du bonheur et de la joie. Et moi, je lui ai promis que j'allais être heureuse au paradis et qu'il ne fallait pas qu'elle s'inquiète pour moi.

– Et c'est naturel ! Tu sais, les mamans souhaitent que tout aille très bien pour leurs enfants. En fait, les humains aimeraient que tout soit toujours parfait : ils voudraient être des parents parfaits, avoir des enfants parfaits, une santé, un travail, un amour parfaits ! Alors que la nature même de la vie est faite d'ombre et de lumière comme la nuit et le jour. Accepter la vie, c'est aussi accepter la mort. La peur, la colère et la souffrance qu'engendre le deuil sont des sentiments certes inconfortables, mais beaucoup moins douloureux lorsqu'ils sont accueillis et vécus. La plupart des gens refusent de vivre ces étapes essentielles à leur guérison. Ils associent la perte à l'échec, la maladie à la malédiction, le chagrin au malheur, la naissance au commencement et la mort à la fin de la vie…

Pourtant, la naissance et la mort sont un même passage dans lequel le deuil doit être honoré. Les gens s'imaginent qu'au paradis nous ne vivons pas de sentiments. Pourtant, je ressens en ce moment beaucoup de compassion pour cette grande traversée que tu vis, Lulu. Alors tu vois, même si tu n'as plus de corps physique, tu pourras toujours ressentir l'amour, la joie, la tristesse, la paix et l'impuissance. La différence, c'est qu'ici, nous ne transformons pas nos sentiments en émotions négatives.

C'est-à-dire que la tristesse ne devient pas de la détresse et l'impuissance ne se traduit pas en colère. Comme nous baignons dans la Lumière, l'amour est au cœur de nos vies. En accueillant la tristesse et l'impuissance, nous permettons à ces sentiments de vivre et ainsi de transmuter. Retiens toujours cette petite phrase Lulu : *ce qui résiste, persiste*. Alors que si nous lâchons prise et que nous vivons pleinement le moment présent, nous permettons à l'amour d'opérer sa magie.

Le message de Raphaël parvenait directement à son âme, mais Lulu, elle, n'écoutait plus. Dès les premiers mots, elle avait fermé les yeux. De grosses larmes coulaient sur ses joues satinées devant l'image de Thomas dans les bras de Sarah, tous deux enveloppés de chaleur humaine. Bien qu'elle participait de l'invisible à cette réunion, la petite ne pouvait s'empêcher de penser qu'elle ne pourrait plus jamais jouer, rire et échanger toute cette tendresse avec ces êtres si chers à son cœur. Raphaël ne tentait ni de la raisonner, ni de la consoler. Au contraire, il l'écoutait et l'encourageait à exprimer son chagrin jusqu'au bout. Après un long moment, du revers de son aile, Lulu essuya ses joues mouillées.

– Merci, mon ange…, lui dit-elle quelque peu soulagée.

Il sourit en lui tendant la main.

– Tu te sens mieux maintenant?

– Un peu, oui. Mais dis-moi, est-ce que cette tristesse restera encore longtemps dans nos cœurs? Je sais que mes parents et Sarah aussi souffrent de mon départ.

– Plus tu avanceras dans cette nouvelle dimension où le temps et l'espace n'existent pas, moins tu ressentiras l'illusion de la séparation. Maintenant que tu as quitté ton corps physique, graduellement, tu te libèreras de tes corps intellectuel et émotionnel pour fusionner entièrement à ton corps spirituel... à la lumière.

– Et pour les miens qui vivent encore dans l'espace et le temps terrestre, est-ce que ça va être très long pour qu'ils guérissent ?

Émerveillé devant la bonté de l'ange en devenir, Raphaël s'assit par terre pour mieux réconforter la partie humaine encore bien imprégnée dans l'âme de Lulu.

– Chaque fois que tu exprimeras ton chagrin et que tu verras tes proches te pleurer, dis-toi que vos puits de larmes se vident doucement. Accueillir la douleur du deuil c'est aussi lui offrir une porte de sortie. Un jour, tes proches penseront à toi en souriant et ce jour-là, tu seras la petite fille la plus heureuse du paradis.

– Et l'ennui… il fondra aussi ?

– L'ennui s'apaisera, mais il ne disparaîtra jamais complètement. Car l'ennui, c'est la petite valise qui contient vos plus beaux souvenirs et vous en aurez besoin tout au long du voyage… peu importe votre destination. Laisser partir un être cher ne signifie pas l'oublier, mais plutôt le garder bien vivant dans notre cœur.

– Et est-ce que tu crois que mes petits coucous les aident ou s'ils s'ennuient encore plus après ?

– Il existe une forme d'ennui qui est sain et c'est celui qui est enveloppé d'espoir. Alors je te retourne la question : est-ce que tu t'ennuies davantage de Sarah depuis qu'elle est venue te voir avec son corps de lumière ?

Un éclair de compréhension soudaine s'alluma dans l'esprit de l'enfant endeuillé. Son visage s'illumina d'une grande joie et vivement elle demanda :

– Donc, ça leur fait du bien ? Et ça veut dire que la mort ne nous sépare pas et qu'un beau jour on va tous se retrouver ?

– Mieux encore ; ça veut dire qu'il n'est pas nécessaire de mourir pour rejoindre ceux qu'on aime et que nous faisons UN éternellement.

– Mais il faudrait qu'on dise ça à tous les humains de la Terre entière alors !

– C'est pourquoi nous sommes là ! Allez, viens... je t'emmène !

– Où allons-nous ? Zut, alors... pas déjà une autre mission ?

Raphaël éclata de rire !

– Non, Lulu, pas déjà une autre mission. Que dirais-tu d'assister au Grand Concert des Musiciens Célestes !

Ses yeux pétillants de joie s'écarquillèrent.

– Tu veux dire la musique des anges ?

– Des anges musiciens et des compositeurs qui ont vécu comme toi, sur la Terre.

– Ah ! Ceux que Papa et Maman écoutent toujours ?

– Eh, oui ! Beethoven, Mozart, Bach, Debussy ! Et pour célébrer ton arrivée au Jardin des Enfants de Lumière, Brahms t'offrira sa magnifique *Berceuse*.

– Par des anges à la harpe ?

– Par des anges à la harpe !

– Et ce sera dans un grand théâtre ?

– Tu n'en as jamais vu de pareil !

Le cœur rempli de bénédictions, les deux anges s'envolèrent vers le Théâtre des Grands Maîtres Célestes !

Chapitre sept

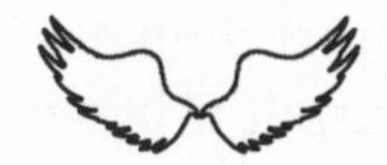

Six mois s'étaient écoulés depuis la rencontre de Jean-François et Larry au Café Croissant. La manifestation de Lulu à travers sa plume avait vivement ébranlé le messager indélibéré. Quoiqu'il ressentait parfois la présence de son fils, Larry n'avait guère l'intention de provoquer ces messages qu'il considérait comme étant sacrés. À ses yeux, la spontanéité et la simplicité du billet validaient toute l'authenticité de son contenu.

Certes, il aurait pu être tenté de chercher à contacter Zachary pour apaiser son âme meurtrie. Mais Larry croyait que sa blessure encore trop vive pourrait créer une interférence et venir brouiller les ondes. Aussi, les fausses croyances programmées depuis son enfance face au suicide laissaient encore planer dans son esprit une image terrifiante du chemin ténébreux qu'aurait pu emprunter son fils unique en commettant le geste fatal.

Dans sa grande sagesse, le père endeuillé choisit plutôt de se mettre à la lecture d'enseignements spirituels pouvant l'éclairer sur le phénomène de la vie après la mort. Il prit conscience de l'importance de nettoyer le passé et de le bénir pour enfin se donner le droit de vivre heureux après le départ de son enfant. Sa plus grande préoccupation étant celle de la paix de l'âme de Zachary, il entreprit de plonger au cœur de son propre parcours pour reconnaître ses manques et soigner ses blessures. Ainsi pourrait-il briser la chaîne des souffrances transmises d'une génération à l'autre et contribuer à la guérison de ses ancêtres jusqu'à l'âme de son fils bien-aimé. Courageusement, il décida de retourner en arrière pour faire la paix avec un passé récent encore bien douloureux.

Le couple n'avait pas survécu à la mort tragique de leur fils adoré. Ni l'un ni l'autre n'avait trouvé le courage d'exprimer la peine et la colère qui les rongeaient. Larry avait choisi de taire ses sentiments douloureux sous le regard méprisant et culpabilisant de Suzanne, anéantie. L'inévitable dépression situationnelle n'ayant pas été soignée, les parents de Zachary se retrouvèrent isolés chacun dans leur bulle de souffrances.

Il était 20h30 lorsqu'il se décida enfin à lui téléphoner :

– Oui, aaaaallôoo ! répondit une voix faible.

– Oh ! Désolé… j'ai fait un mauvais numéro.

– Allô… qui est-ce ? Larry… c'est toi ? murmurait-elle.

– Suzanne ? Mais, je ne t'ai pas reconnue… est-ce que ça va ? Tu sembles…

– Je… suis…

Puis, plus rien. Elle avait laissé tomber le combiné sur ses genoux. Au bout du fil Larry s'inquiétait :

– Suzanne, tu m'entends ? Tu es là ?

Il lui fallut quelques secondes avant de réussir à reprendre le téléphone :

– Trop de... mé... dica... ments...

Un éclair traversa l'esprit de Larry, terrifié. Les questions se bousculaient dans sa tête :

– Non ! Suzanne... as-tu tenté... qu'est-ce que tu as fait ? Est-ce que tu es seule ?

Une voix familière retentit tout à coup au bout du fil :

– Bonsoir, Larry... c'est Mireille.

– Ah ! Doux Jésus, Mireille... quel soulagement de t'entendre ! Mais qu'est-ce qui se passe ?

– Attends-moi un instant, je reviens.

Couvrant l'appareil de sa main, elle s'adressa à sa meilleure amie :

– Alors, qu'est-ce qu'on fait, ma belle ? Est-ce qu'on lui dit ?

Mireille voyait défiler dans le regard de Suzanne une foule de sentiments ; la peur, la joie, la colère et l'amour se disputaient le premier rang. Devant tant de confusions et à bout de forces, la femme souffrante fit un léger signe de tête.

À l'autre bout du fil, Larry faisait les cent pas lorsqu'il entendit une porte se refermer et la voix de Mireille résonner enfin :

– Excuse-moi, Larry. Me voilà.

– Ai-je bien entendu « les médicaments » ? Ne me dis pas qu'elle a tenté…

Incapable de prononcer le mot fatidique, il reformula sa question :

– Est-ce que Suzanne a fait une bêtise ?

– Non, Larry… Suzanne n'a pas essayé de s'enlever la vie. Il s'agit de son traitement de ce matin. Elle est très malade.

– Qu'est-ce que c'est ? C'est grave ?

– Un cancer du sein. Elle termine la première série de ses traitements de chimio. Elle est encore très faible, mais les effets secondaires sont moins violents aujourd'hui.

Une seule phrase réussit à se frayer un chemin à travers la gorge nouée de Larry :

– Tu crois que je peux venir ?

– Eh bien… je suis heureuse de te dire que c'est ce qu'elle souhaite enfin. En fait, ça fait deux semaines que je lui en parle tous les jours, mais tu connais Suzanne.

Il hésita longuement avant de lui demander :

– Dis-moi Mireille, est-ce qu'elle s'en sortira ?

À son tour, l'amie du couple étouffa un sanglot. Elle qui avait été témoin de tant d'amour et d'autant de déchirures entre eux. Elle avait peine à croire que leur histoire pourrait se terminer aussi tristement.

Respectant le silence de Mireille, Larry priait en attendant sa réponse.

– Les médecins ne sont pas très optimistes. Ils disent qu'ils ne pourront pas éviter l'ablation et que malgré l'opération, les chances que le cancer se répande sont très élevées. Mais Suzanne continue de croire en sa guérison. Tu connais son courage et sa force de vivre. Elle se bat très fort.

À la vitesse de l'éclair, la séquence des deuils non résolus de son ex-femme déferlait dans son esprit. À partir de ce vendredi où il lui avait annoncé sa mise à pied alors qu'elle était enceinte, en passant par la nuit où elle avait appris la mort subite de son père adoré. Puis, l'ultime blessure à la mère en elle... le suicide de Zachary. Le tout couronné de leur divorce qu'elle avait provoqué de peur de revivre l'échec et l'abandon.

À chaque fois, Suzanne semblait *forte et courageuse*. Pourtant, elle s'était emprisonnée elle-même derrière les barreaux de l'autopunition, refusant toute aide de l'extérieur. Inconsciemment, elle était devenue la victime de son propre bourreau intérieur, se blâmant de n'avoir pu sauver tout ce monde de qui elle se croyait responsable.

L'homme qui n'avait jamais cessé de l'aimer voyait plutôt en elle une petite fille horrifiée, seule dans le noir, criant à l'aide à travers le sein maternel. Le combat de Suzanne devrait commencer par l'abandon à toutes ses résistances. Il lui faudrait apprendre à pleurer tout ce qui n'avait pas été pleuré depuis trente ans. Larry se demandait comment l'accompagner dans ce chemin de guérison.

– Larry, tu es toujours là ? Est-ce que ça va ?

– Oh ! Pardonne-moi, Mireille. Je suis sous le choc. Ça va aller, merci.

– Est-ce que tu te sens capable de venir la voir ?

– Bien sûr. Demain, est-ce trop tôt ?

– Non, je crois qu'elle a grand besoin de toi en ce moment. Mais donne quand même un coup de fil avant de prendre la route... juste au cas où elle ne serait pas assez bien.

– Merci Mireille ! Que Dieu te bénisse, tu as toujours été un ange dans notre vie. À demain alors...

– Je suis si heureuse que tu viennes. Au revoir Larry.

En raccrochant, l'amie du couple s'effondra en larmes. Larry ne se doutait pas de la charge physique et émotionnelle qu'il venait de soulever de ses épaules.

Le lendemain matin, de gros nuages duveteux ornaient le ciel d'un bleu éclatant. La route sinueuse contournait les montagnes aux sommets encore tout blancs. C'était la veille de Pâques et les cycles de la nature à l'œuvre lui rappelaient le miracle de la renaissance. « *Chaque épreuve porte un cadeau en Soi. Chaque peine exprimée creuse un espace pour que coule la joie profonde. Chaque mort est source de vie nouvelle* », se répétait-il s'inspirant d'un passage qu'il avait lu la veille avant de s'endormir.

Le film de leur vie ensemble se déroulait dans son esprit et Larry se demandait s'il aurait pu faire les choses autrement pour aider son amour à s'en sortir. La tentation de se blâmer était forte, mais le sentiment d'impuissance qu'il avait ressenti devant la souffrance reliée au départ brutal de Zachary lui rappelait une grande loi spirituelle, soit « *le respect du libre arbitre* ».

***

Au retour des funérailles de leur fils unique, Suzanne avait regardé Larry droit dans les yeux en déclarant sèchement:

– Je ne veux plus qu'on en parle. Je n'ai besoin de personne. Je vais m'en sortir seule. Tu feras ce que tu as à faire de ton côté. Est-ce que c'est clair?

Aux oreilles de Larry, ces paroles avaient résonné comme la sentence d'une peine de mort adressée à leur relation. Il sentit alors la terre se dérober sous ses pieds, mais l'épuisement l'avait empêché de prononcer le moindre mot. Deux mois plus tard, Suzanne demandait le divorce. Le lendemain, il appelait à l'aide.

Au cours de sa thérapie, le père défait avait rencontré son enfant intérieur qui s'était acharné à vouloir sauver sa maman de la dépression suite à l'abandon de son mari. Ce jour-là,

Larry avait pris par la main ce petit garçon retrouvé pour entreprendre avec lui un long chemin de guérison.

Il ne lui restait qu'une dizaine de kilomètres à parcourir avant de frapper à la porte de son ancienne maison. Mais auparavant, il devait se rendre à un autre rendez-vous. En traversant le village de son enfance, Larry s'arrêta à la chapelle où il s'était si souvent recueilli. Agenouillé au premier banc, il se signa et joignit les mains pour y appuyer son front. Depuis fort longtemps, l'homme d'âge mûr avait laissé tomber les formules de prières toutes faites pour s'adresser à Dieu.

> *« Mon Dieu, si je m'agenouille et que je m'incline, c'est pour mieux te voir dans mon cœur. Et c'est aussi pour te parler avec la voix de ce même cœur que je dépose ma tête entre tes mains. Tu sais, il m'arrive parfois de douter de ta présence. À vrai dire, je me sens nul devant la souffrance de mes proches. Est-ce que ça t'arrive à toi aussi de te sentir impuissant devant nos choix, nos manques d'amour et nos dépendances ? Au fond, c'est peut-être ça qui me ferait du bien, Dieu. C'est que tu me dises que tu comprends comment je me sens en tant que père et en tant que mari. En tant qu'être humain, quoi ! »*

Puis, il s'arrêta et sourit à ce qu'il venait de confier à Dieu, avec la nette impression que le Divin lui souriait en retour. Ce rapprochement de la divinité à son humanité le réconciliait avec l'invisible. « Comment parler à Dieu et surtout comment l'entendre si on le rend inaccessible, juché sur son piédestal ? Un père ne prend-il pas son enfant sur ses genoux pour écouter ses confidences et ses peines ? Ne s'assoit-il pas face à face avec son fils ou sa fille pour lui expliquer les choses de la vie et pour connaître ses besoins ? Pourquoi le chercher à l'extérieur alors qu'il n'habite nulle part ailleurs qu'en moi ? », se disait Larry, heureux d'affirmer sa foi en Lui.

Puis, il sortit une lettre qu'il déplia précieusement. Seul dans la petite chapelle, il adressa sa prière à voix haute :

« Aujourd'hui mon Dieu, j'ai besoin que tu m'accompagnes dans cette rencontre d'âme à âme avec Suzanne qui est très malade. Je te demande de me donner la force, le courage et l'humilité de lui demander pardon, de lui pardonner et de lui dire à quel point je l'aime. Je te demande aussi de semer dans son cœur cette graine d'amour infini qui est le tien, afin qu'elle se reconnaisse à travers ta toute-puissance. Aide-moi à contribuer à sa guérison en lui exprimant mes sentiments les plus nobles et surtout en l'écoutant sans jugement, inconditionnellement. Par la grâce de ton amour… Merci ! »

Il replia la lettre et la déposa dans la corbeille, au pied de la lumière. Séchant ses larmes, il s'adressa de nouveau au Divin :

« Maintenant que j'ai fini avec toi, Seigneur… laisse-moi parler un peu à mon fils, si tu veux bien. Merci d'être là et de guider mes pas sur cette Terre. Voilà que mes doutes s'évanouissent doucement. Merci. »

« Zach, je sais que tu es là. Je sens ta présence et ça me suffit. Je sais que de l'au-delà, tu connais la situation de ta mère. Mon garçon, je n'ai qu'une demande à te faire… Mon ange, aide-moi ! Voilà ! Ta maman traverse un passage très difficile et je t'avoue que je me sens impuissant, démuni et même coupable devant son état de santé. On a besoin de ta

ière sur notre blessure, mon fils. Aide-nous à accepter et à guérir. Tu étais un petit garçon si merveilleux. Je sais que de ton étoile, tu brilles plus que jamais. Je t'aime Zachary. Je t'ai pardonné ton geste depuis longtemps et je te remercie de m'avoir pardonné mes manques et mes faiblesses aussi. Je compte sur toi, mon grand. Merci! »

Sur ces mots, les présences invisibles de Raphaël, de Lulu et de Zachary se glissèrent dans le banc derrière Larry qui eut aussitôt le réflexe de se retourner. Personne! Pourtant, il lui semblait bien avoir entendu un bruit dans son dos.

En s'assoyant, il sentit une main se poser sur son épaule. Larry ferma les yeux pour mieux ressentir le toucher de son fils. Le contact sans équivoque ne dura que quelques secondes. Au-delà des mots, le message de Zachary se fit entendre au plus profond de son être: « *Je suis avec toi, Papa. Merci, je t'aime. L'amour guérit tout. Maman, je t'aime.* »

Larry baignait dans la pure lumière de l'amour inconditionnel. La vibration divine irradiait dans la chapelle au moment où son âme parla clairement en son nom. Il se surprit alors à prononcer ces paroles de sagesse:

« *Je suis ici maintenant présent à moi-même.*
Je suis vie et lumière.
Je m'aime simplement parce que JE SUIS ICI.

Je suis présent à mon être tout entier; corps, âme, esprit.
Lorsque je me trompe... je m'aime.
Lorsque j'ai peur... je m'aime.
Lorsque je suis en colère... je m'aime.
Cet amour, je le porte en moi depuis ma naissance.

Je me l'offre et je le reçois.
Cet amour, je le répands autour de moi.
Je l'offre et je le donne.

Je n'ai rien d'autre à faire. L'amour est à l'œuvre.
L'amour agit.
L'amour est TOUT ce qui existe. »

***

Auprès de son âme sœur, il déposa sur son front un doux baiser en lui murmurant tendrement de sa voix à la fois grave et rassurante :

– Je suis là... pardonne-moi... je t'aime.

Un mélange de bonheur et de tristesse remplissait de lumière les yeux de Suzanne. Son premier pas se fit en toute humilité.

– Larry... je reçois ton amour et j'accepterai toute l'aide que je peux recevoir pour guérir. Je te demande pardon de t'avoir fermé la porte de mon cœur. Merci d'être venu frapper à nouveau. Merci.

À la tête de son lit se tenait la Lumière de Zachary.

Lulu et Raphaël se préparaient à sceller cette réunion d'âmes en traçant un cœur doré autour de la cellule familiale en réparation.

L'intention étant maintenant placée au cœur du Divin… l'amour ferait le reste !

Chapitre huit

Sur le toit de l'immeuble géant, Lulu attendait son guide angélique, l'esprit rempli de questions.

Raphaël avait mené de main de maître l'accompagnement à l'âme de Zachary, qui se manifestait à la Terre pour la première fois. De son côté, Lulu doutait du résultat de leur intervention. Dès que l'ange fut déposé, l'initiée s'empressa de lui demander :

– Dis, Raphaël… est-ce qu'elle va guérir la maman de Zachary ?

Scrutant l'horizon, le maître restait silencieux.

– Elle va mourir alors ?

Sans la moindre réaction, il demeurait muet. Impatiente, elle leva le ton.

– Mais dis-moi au moins, est-ce qu'on a accompli notre mission ?

Heureux d'entendre l'ultime question, il se tourna doucement vers Lulu et lui lança d'un ton désinvolte :

– Et selon toi ?

– Eh bien, il faudrait d'abord que je sache c'était quoi notre mission. Le seul signal que j'ai reçu est celui de Larry qui a demandé à son fils *Mon ange, aide-moi...* Mais le reste je ne sais pas. Alors, moi je crois que je n'ai servi à rien du tout et que peut-être nous n'avons pas fait notre travail d'anges.

Une fois de plus, l'ange s'émerveilla devant la candeur et la pureté de l'âme.

– Viens, approche-toi un peu...

Et comme un bon professeur, il prit un bâton et dessina, dans la poussière sur le toit, un immense pont.

– Tu vois, ce pont relie le Ciel et la Terre. Ce qui nous rend toi et moi invisibles aux yeux des humains, c'est notre taux vibratoire plus élevé. Donc, entre la 3e dimension, la Terre, et la 4e dimension, le Ciel, la vie ne vibre pas à la même fréquence.

Se grattant la tête, elle fronça les sourcils pour signaler son incompréhension.

– L'exemple qui me vient est celui d'un ventilateur qui tourne à une vitesse si rapide que ses pales semblent avoir disparu. Est-ce que tu me suis ?

Captivée, Lulu hocha vivement la tête. Puis, il reprit :

– Alors, tout comme la Terre, le corps physique vibre à un

taux moins élevé que nos corps de lumière, comme celui de l'esprit désincarné par exemple. C'est pourquoi, lorsqu'une personne vit une expérience de mort imminente et qu'elle entre momentanément dans la dimension de l'invisible, elle peut voir son corps, entendre les conversations des gens qui l'entourent et qui tentent de le réanimer. L'état d'ultime bien-être alors ressenti est celui de la paix de l'âme détachée de son enveloppe, insensible à la douleur et aux émotions. Parfois même, le taux vibratoire de certaines âmes s'élève suffisamment haut pour qu'elles puissent apercevoir les êtres de lumière. Ainsi, à leur retour, les miraculés témoigneront de ce qu'ils ont vu de l'autre côté, soit le corridor, le pont, leurs proches, les anges et même la Lumière Divine.

– Wow!... tout devient si clair pour moi. Je comprends maintenant que c'est ce que Sarah a réussi à faire en venant me voir avec son corps astral. Mais je me demande bien comment elle a pu venir si elle n'était pas cliniquement morte.

– Parfois, la douleur du départ d'un être cher est si grande qu'elle permet de déchirer le voile de l'inconscient, ce qui ouvre la voie à l'âme pour voyager. Plusieurs écoles spirituelles enseignent la méditation afin d'élever le niveau de conscience, ce qui peut favoriser les déplacements d'une dimension à l'autre. Les médiums authentiques ont cette faculté d'entrer en communication soit par la pensée, l'écriture ou la voyance avec des êtres décédés, des anges ou des guides spirituels. Ces personnes sont souvent investies d'une mission importante et doivent faire preuve de discernement, d'intégrité et d'authenticité à travers leur pratique. L'interprétation des messages peut parfois être biaisée par l'ego de l'intermédiaire. Les meilleurs médiums sont très souvent ceux qui ne savent pas qu'ils le sont, comme les enfants, par exemple. Ou comme Larry qui ne savait pas que tu lui transmettrais ces quelques lignes en déposant un baume sur la blessure de ton papa. Le canal pur de cet homme a permis cette communion d'âmes qui servira d'outil de guérison à ton père. Mais il ne faut pas oublier que Jean-François est le seul à pouvoir choisir d'accepter ta mort, de croire en la vie qui continue pour lui autant que pour toi et de se soigner.

De plus en plus de gens conscients et éveillés ouvrent leur canal et établissent leurs propres communions spirituelles. Un jour, lorsque la lumière aura traversé le mur de l'ignorance et que les humains auront pris conscience de leur pouvoir créateur intérieur, les médiums ne seront plus nécessaires aux communications spirituelles. Tout le monde aura sa ligne directe. L'évolution technologique devance celle de la conscience puisque les terriens peuvent maintenant se parler et se voir d'un bout à l'autre de la planète. Mais je t'amène peut-être trop loin maintenant...

– Mais non, Raphaël ! Je comprends si bien tout ce que tu m'expliques que j'ai l'impression de vieillir d'un an à chaque minute qui passe. Une petite fille de quatre ans ne pourrait pas comprendre tout ça, n'est-ce pas ?

– L'enfant en toi vivra toujours, Lulu. Par contre, la partie de toi qui comprend et ressent ce qui se passe ici n'a pas d'âge, car il s'agit de la conscience à l'état pur qui retrouve graduellement ses mémoires, ses connaissances et ses racines. Je ne fais qu'éveiller en toi toutes ces programmations que tu connais aussi bien que moi. Autrement dit, nous sommes à créer ton nouveau logiciel spirituel.

Ils s'esclaffèrent joyeusement! Reprenant son schéma, Raphaël poursuivit:

– Alors, pour revenir au pont et à notre mission, tu dois savoir que nos rôles sont ceux de *passeurs d'âmes*. En fait... le pont, c'est nous! Tu vois?

Et il dessina deux paires d'ailes de chaque côté du pont.

– Est-ce que nous servons à faire passer ceux qui meurent dans la 4e dimension?

– Heureusement, le pont a plusieurs voies et n'est pas à sens unique. Il peut donc servir les deux côtés de la vie. Nous accompagnons les âmes qui quittent la Terre et celles qui y retournent. Nous servons aussi les défunts qui cherchent à rejoindre leurs proches pour leur donner signe de vie, les anges à accompagner leurs protégés et même Dieu à rejoindre le cœur de ses enfants.

– Je sens que tu vas enfin répondre à ma question. Est-ce que nous avons réussi notre dernière mission?

– Et je sens que je vais te la retourner à nouveau! Qu'en penses-tu?

– Eh bien, je pense que nous avons amené Zachary à son papa à la chapelle et que Larry pourra à son tour faire le pont entre son fils et sa femme malade.

– Wow! Tu viens de faire un très beau lien, Lulu!

– Mais tu m'as toujours pas dit si Suzanne allait guérir de son cancer.

– La lumière Divine a traversé le pont et s'est rendue au cœur de la malade qui s'est ouvert à l'amour de son mari. Suzanne a la volonté de vivre et tous les outils sont entre ses mains pour soigner sa blessure à la source, soit la mort tragique de son fils. La médecine scientifique, les médecines alternatives, la prière, la méditation, la thérapie et surtout l'amour d'elle-même sont autant de chances pour elle de poursuivre son plan terrestre. La main du Divin lui est tendue. Le miracle est entre les siennes maintenant.

– Et Zachary ?

– J'avais reçu l'appel de Zachary durant notre intervention auprès de ton papa. Au moment où Larry a dit : « *Mais, tu as raison, tu ne m'as rien demandé et qui suis-je pour te faire la morale, sinon un père qui a perdu un fils qui te ressemblait. Je ne connais pas ton parcours, ni ce qui te pousse à te détruire, Jean-François, mais vois-tu, il y a une voix d'enfant qui me demande de t'aider.* » Dans un sens, la voix de l'enfant que Larry entendait était la tienne. Dans l'autre sens, moi j'ai reçu le message de Zachary pour son père.

– Alors, notre mission sert aussi les âmes en transition ?

– Pour tout te dire, c'est la partie de l'intervention que je préfère. Car c'est dans le corridor sombre que les âmes ont le plus grand besoin d'aide pour sortir des ténèbres et entrer dans la lumière. Il en va de même pour ton papa. Sur la Terre, il traverse aussi un passage sombre au bout duquel l'attend la lumière. Nous avons servi la Lumière... laissons l'intervention divine agir maintenant!

Lulu était bouche bée. Elle aurait voulu courir ou plutôt voler jusqu'à l'hôpital pour servir de pont à ses petits amis malades; libérer ceux qui voulaient rentrer à la maison et ouvrir grandes les portes du paradis à ceux qui désiraient traverser au Jardin des Enfants de Lumière. Une fois de plus, Raphaël avait capté cette pensée.

« Souviens-toi, petit ange... on ne se précipite pas pour diriger les âmes vers la sortie. Le mot de passe est nécessaire... toujours! »

Et ils entamèrent comme un hymne célèbre « *Mon ange, aide-moi* ».

Deuxième partie

Chapitre neuf

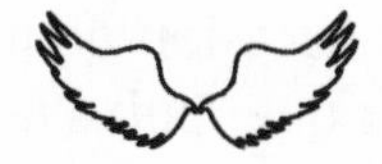

Elizabeth déposait son dernier bagage dans le coffre de la voiture lorsque la sonnerie du téléphone retentit. Elle courut à l'intérieur pour ne pas manquer l'appel attendu de Jean-François.

– Bonjour ma chérie… et puis ? tu es sur ton départ ?

– Eh ! Oui… tout est dans l'auto. Je fais une dernière vérification à la liste pour m'assurer que vous survivrez sans moi et ensuite, je pars !

Jean-François souriait :

– Hé !… tu vas me manquer, tu sais.

– Tu me manqueras aussi, mon ange et je dois l'avouer… Ouf ! Que je trouve ça difficile de vous laisser, mes amours.

– Je comprends, mais tu le sais… t'as grandement besoin de ce repos et je suis tellement heureux que tu aies accepté de le prendre ; ne change pas d'idée maintenant. Thomas est sevré, l'école a repris, le « timing » est parfait. Je te défends de t'inquiéter pour nous. Nous allons survivre et mieux encore, on va passer du bon temps tous les trois ensemble. Ce sera aussi pour moi une occasion de me rattraper avec Sarah. Elle a besoin de savoir à quel point je l'aime et combien elle est importante pour moi.

– Tu ne peux pas t'imaginer le plaisir que ça me fait d'entendre ça, Jean-François. Tu es un amour et je t'admire tellement pour tout le chemin parcouru depuis un an. Je t'aime mon chéri… mieux et plus que jamais. Et toi, ça va bien aller, n'est-ce pas?

Jean-François avait vite décelé l'inquiétude qui se cachait derrière cette interrogation.

– Élizabeth… je t'en prie, fais-moi confiance. J'ai fait un choix et j'honore ma promesse envers Lulu et envers moi-même chaque jour. Alors, pars tranquille. Je te demande de penser à toi, juste à toi et de lâcher prise, ok? Même si je n'ai pas toujours agi en adulte, n'oublie pas que j'en suis un et que tu as deux enfants et non pas trois. Je prends soin de moi maintenant et j'espère que tu en feras autant et que tu profiteras pleinement de ton séjour à la mer. Ok? C'est promis?

Elle ferma les yeux en souriant:

– Je suis désolée… excuse-moi. Je sais pourtant tout ça et comme Élise me le rappelle souvent, ce n'est pas d'un amour maternel que tu as besoin et ce n'est pas un enfant que j'aime, mais un homme extraordinaire. Merci, mon ange. Je vais prendre soin de moi, c'est promis! Allez, il faut que je me sauve maintenant… Oh! N'oublie pas le vaccin de Thomas mardi matin à 9h00. J'ai mis une note sur le frigo, mais au cas où…

– C'est ça mon amour, je n'oublierai pas. Et si j'oublie quoi que ce soit, t'inquiète, Sarah est l'écho de ta voix… tu peux être certaine qu'elle me ramènera à l'ordre.

Complices, ils éclatèrent de rire et raccrochèrent, le cœur rempli d'amour.

Le couple endeuillé avait fait de grands efforts pour traverser l'épreuve et vivre les transformations que la mort de Lulu et la naissance de Thomas leur imposaient. Les choix avaient été nombreux et parfois difficiles à faire, mais le chemin de la conscience s'ouvrait grand devant eux et ils eurent le courage de s'y engager. Ils avaient fait un pacte d'amour en acceptant un soutien thérapeutique chacun de leur côté ; puis ensemble, pour soigner l'âme de leur couple. Élise, leur psychothérapeute et guide spirituelle, leur avait été d'un grand secours.

Jean-François avait non seulement cru au message de Lulu, mais il s'était même engagé envers elle dans une démarche de sevrage et de guérison. À travers ses nombreuses lectures, ses marches et la pratique des arts martiaux, l'homme perdu s'était soigné et avait tranquillement retrouvé le goût à la vie.

Pour sa part, Élizabeth avait aussi grand besoin d'un soutien thérapeutique à travers la dépression post-mortem et post-partum, la réhabilitation de son amoureux sans compter l'accompagnement de sa fillette en deuil de sa petite sœur.

La visite céleste de Sarah à Lulu avait opéré un soin miraculeux sur sa blessure. Élise, qui avait rencontré l'enfant à trois reprises, avait pu constater au cours d'une lecture d'âme qu'une intervention divine était à la source de cette guérison spirituelle.

Le petit Thomas, lui, rayonnait de bonne humeur et de santé. Son intelligence innée reluisait à travers son regard flamboyant et sa joie de vivre contagieuse était certes bienvenue dans la famille. Le poupon faisait aussi le bonheur de ses grands-parents qui reconnaissaient en lui un rayon de la lumière de Lulu.

Après deux heures de route, Élizabeth commençait à peine à relâcher ses tensions et à déposer le fardeau des responsabilités. La jeune femme avait beaucoup voyagé seule du temps de son célibat et voilà que les bienfaits du silence et de la liberté s'installaient doucement pour son plus grand bien. Ses yeux se remplissaient de larmes à la seule pensée que personne n'aurait besoin d'elle pendant sept jours et sept nuits. « Penser à moi ! », se disait-elle. « Comment faire ? »

Comment retrouver le réflexe de répondre à ses propres besoins tout en faisant taire les petites voix sollicitant sans cesse sa présence, son soutien et son amour ? Comment ne pas s'inquiéter et jouir du moment présent ? En réponse à ces questions, la programmation prescrite par Élise lui revenait à l'esprit : « Je m'accueille. J'accueille toutes les parties de moi qui ont besoin d'être nourries et aimées et je me tiens par la main. »

Au cours des dernières années, Élizabeth s'était disciplinée et consciemment engagée envers elle-même, afin de retrouver son équilibre et revenir à la vie. Lectures, thérapies, prises de conscience, méditations étaient à l'ordre du jour au quotidien.

Mais voilà que la phase d'intégration lui proposait une pause, un repos complet sur tous les plans. Elle déposa alors tous les outils de sa reconstruction pour la durée de ses vacances. Une seule envie : dormir, manger, marcher, pratiquer son yoga et se baigner dans la mer !

Dès la première journée, son cadran biologique se trouva complètement déréglé. Voilà qu'elle dormait des nuits de douze heures en plus de somnoler sur la plage, au bord de la piscine, partout. Dès qu'un espace s'offrait à elle pour s'allonger, son corps en profitait pour évacuer l'immense fatigue accumulée. Servie à souhait, elle dévorait tout ce qui lui tombait sous la main et jouissait pleinement de son rôle de princesse. Jean-François lui avait fait promettre de prendre un massage chaque jour et de ne rien faire d'autre que de se reposer. Ses journées se résumaient donc à ce rituel de bienfaits.

Des nouvelles lui parvenaient chaque matin par courriel, ce qui lui permettait de profiter, l'esprit en paix, du reste de sa journée. À sa grande surprise, l'ennui n'eut pas le temps de la rattraper. Sarah lui avait même écrit ce petit mot pour l'encourager à prolonger ses vacances :

> *Allô maman. Ici on s'amuse beaucoup. On a des permissions spéciales. Hier soir, juste nous deux, papa et moi on a écouté un film et je me suis couchée à 10h00. C'était vraiment cool ! En plus, je joue à la mère avec Thomas. Je l'adore mon petit frère. Alors, tu sais maman, tu peux rester plus longtemps si tu veux !*

Élizabeth avait éteint l'ordinateur l'esprit tranquille et le cœur en paix.

Très tôt ce matin-là, après avoir répondu aux messages de ses amours, elle se rendit au bord de la mer pour sa marche quotidienne. Comme si le jour ne s'était levé que pour elle, la plage déserte l'invitait aux premières loges du majestueux spectacle du soleil levant. Elle s'arrêta alors pour contempler la beauté immaculée de la création, remplissant tout son être des forces énergétiques du feu, de l'eau, de l'air et de la terre. En pratiquant la salutation au soleil, elle accueillit ce jour le cœur rempli d'amour!

Les jours précédents, Élizabeth se rendait jusqu'à la pointe des rochers, mais cette fois, elle se sentait d'attaque pour franchir ce barrage et explorer de nouveaux espaces. Après avoir contourné l'amoncellement de ces immenses pierres, elle plongea au cœur d'une vague bouillonnante pour ressurgir quelques mètres plus loin. S'allongeant sur la nappe océanique, elle flottait comme une épave au gré du mouvement des vagues, confiant à l'astre solaire tout ce qui avait besoin d'être soigné en son corps, son âme et son esprit.

Jamais auparavant elle n'avait ressenti un tel état d'âme. Aucune attente, aucune question, aucun désir n'occupaient son esprit. Au cœur des bénédictions qui l'enveloppaient et de l'abondance d'amour qui la berçait, Élizabeth célébrait la vie. Les traces laissées par son chagrin serviraient maintenant de canaux pour laisser couler sa joie et sa gratitude envers Lulu, indéniablement présente à cette communion d'âmes!

Lorsqu'elle reprit sa marche, elle aperçut au loin une silhouette assise sur la plage. En s'approchant, elle put distinguer la présence d'un vieil homme en posture méditative. L'idée de rebrousser chemin pour ne pas le déranger lui traversa l'esprit, mais une quelconque intuition la poussa à contourner l'espace sacré de l'homme recueilli et à poursuivre sa quête des lieux. Loin de se douter qu'il ait pu entendre ses pas à dix mètres derrière lui, elle sursauta en entendant :

– Quelle journée magnifique… n'est-ce pas ?

Timidement, elle répondit sans s'arrêter :

– Oui, en effet… quelle belle journée !

– Vous êtes pressée ? lui demanda-t-il, un sourire dans la voix.

– Euh ! non, pas du tout… mais je ne veux surtout pas vous déranger. Vous semblez…

– Dormir ? lui dit-il en éclatant d'un rire enfantin.

Sans se retourner, l'inconnu leva un bras dans les airs, lui faisant signe de s'approcher. Timidement, Élizabeth accepta l'invitation inattendue. Elle percevait dans sa voix une bonté qui lui inspirait confiance. Lorsqu'elle se trouva devant lui, l'homme immobile fixait l'horizon. Élizabeth s'agenouilla dans le sable frais et prit respectueusement la main, déjà tendue, entre les siennes.

Des larmes inexplicables coulaient sur les joues de la femme éblouie par cette présence magnétique. Son sourire semblait faire partie des traits bien découpés d'une figure sans âge. Son regard s'étendait jusqu'à l'infini et ses yeux baignaient dans une mince vague d'eau étincelante.

C'est alors qu'Élizabeth pencha la tête, tentant de bloquer le soleil plombant sur le visage de l'inconnu. Sans ciller, sans broncher, son regard plongeait maintenant droit au cœur de la jeune femme qui fondit en larmes.

L'aveugle s'inclina légèrement, joignit ses fines mains qu'il pointa vers le ciel :

– Namasté !

– Namasté... Maître, répondit-elle d'une voix tremblante.

Le sage riait de bon cœur :

– Maître... avez-vous dit ? Oh ! là, là. Dois-je comprendre que vous cherchez un professeur ?

– Pardonnez-moi, je suis... je ne sais pas... vous dégagez tant de lumière et d'amour...

– Eh bien ! Je suis heureux du miroir que le soleil fait de moi, chère enfant, lui répondit-il toujours souriant.

Reniflant, Élizabeth s'efforçait de se rattraper :

– C'est difficile pour moi d'expliquer ce que je ressens... c'est comme si vous n'étiez pas réel ou trop beau pour être vrai.

Elle se sentait si maladroite ! Les mots n'arrivaient pas à traduire les sentiments ni les émotions que cette rencontre impromptue déclenchait en elle. Elle aurait voulu être à la hauteur, démontrer autant de sérénité, de joie et de bien-être intérieur. Elle avait l'impression de passer un « scanner » à l'âme. Le regard du non-voyant semblait voir au plus profond de son être, bien au-delà de sa personnalité et de son apparence physique.

Laissant le discours intérieur de la jeune femme nettoyer toutes ces pensées superflues, le sage demeurait silencieux. À travers le silence, sa compassion se frayait un chemin au coeur de l'enfant en elle.

Élizabeth ne s'était pas préparée à un voyage initiatique, ce qui rendait cette rencontre inusitée encore plus bénéfique. Le grand plan était maintenant à l'œuvre.

Ne sachant plus comment s'y prendre pour rompre le silence, Élizabeth se mit à rire nerveusement.

– Ah ! Voilà qui est une belle entrée en matière ! dit-il, élargissant son sourire.

– Je me sens si petite devant vous et je ne sais pas par où commencer. J'ai l'impression de vous connaître depuis toujours et de vous retrouver. C'est l'émotion qui est montée lorsque j'ai pris votre main dans les miennes, tout à l'heure.

– J'ai aussi ressenti cette joie profonde en vous attendant ce matin. Lorsque j'ai entendu votre plongeon, mon cœur a fait un saut de bonheur !

L'homme encore sans nom était un magicien des mots. Empreintes de simplicité et de transparence, ses paroles faisaient reluire l'âme d'Élizabeth.

– Je me présente… Élizabeth Faubert.
– Je suis honoré, grande dame.

Le sage prenait tout son temps. Il savourait chaque instant et laissait la vibration des mots se déposer et agir. Il gardait de longs silences entre chaque réplique, au grand désespoir d'Élizabeth qui se disait en elle-même : « Dieu qu'il est difficile pour nous, Occidentaux, de prendre le temps de réfléchir et d'écouter la voix du silence. Respire, ma belle… respire et attend. Ne te précipite pas pour combler un vide en disant des sottises. »

Une fois de plus, elle se sentait toute petite. Pourtant, la figure d'humilité devant elle ne faisait rien pour ça ! En fait, c'était la *petite* en elle qui commençait à se faire sentir et c'était justement elle que le sage voulait entendre ! La patience d'Élizabeth fut alors récompensée.

Il pointa gracieusement le ciel bleu et lui demanda :

– Regardez ! Vous le voyez ? C'est un aigle, n'est-ce pas ?

Le soleil l'empêchait de voir ce que le guide aveugle tentait de lui montrer. La main en visière, elle plissa les yeux pour n'apercevoir qu'un point noir planant très haut dans le ciel.

– Je ne vois pas très bien… j'ai le soleil dans les yeux et il est très haut. Je ne saurais vous dire.

– Attendez… soyez patiente… vos yeux s'habitueront à l'éclat des rayons lumineux. Pendant ce temps, le prédateur prépare sa descente et se fera voir de mieux en mieux.

Comme si la nature se mettait de la partie pour lui faciliter l'identification de l'oiseau, un tout petit nuage se braqua devant le soleil, lui donnant juste le temps de reconnaître le bec crochu et les ailes gigantesques de l'aigle.

Bouche bée, Élizabeth était sidérée.

– Mais comment pouvez-vous savoir sans voir ?

– Ce que je ne peux voir avec mes yeux, je le ressens, je le perçois au cœur de l'invisible qui est rempli de beautés et de surprises. Ce que je vois en vous est beaucoup plus grand et plus beau que ce vous voyez en vous regardant dans le miroir. À l'instar du soleil qui vous éblouit lorsque vous le regardez en face, vos yeux sont aveuglés par le rayonnement de votre âme. Vous devez plisser vos paupières et vous faire doucement à cette lumière éclatante. Pour vous aider, l'Intelligence Divine place des petits nuages dans le ciel de votre vie afin de vous permettre de reconnaître la toute-puissance qui règne là-haut et au plus profond de votre être.

Nouveau silence. Élizabeth, subjuguée devant la fabuleuse métaphore, promenait son regard de l'aigle à l'aveugle qui voyait l'essentiel ! Tandis qu'elle tentait de se remettre de son éblouissement, il lança :

– Prassana !

– Pardon... excusez-moi ?

– Prassana... c'est mon nom ! Vous aimez ? lui demanda-t-il d'un air coquin.

– C'est un très joli nom… Prassana!
– Il faut faire rouler le « r ». Prrrrrrassana! Et il riait encore…

– Oh!... Faire rouler le « r »… Prrrrrrrrrrrrrassana? imita-t-elle en éclatant de rire à son tour.

– Vous voyez… Prassana est un prénom hindou qui signifie *joyeux*! C'est mon essence et je viens vous en induire. Le dernier nuage qui est passé devant votre soleil vous a coupée pour un certain temps de votre joie profonde. Votre joie de vivre est partie avec votre petite fille, n'est-ce pas?

La mère endeuillée porta vivement ses mains à sa bouche pour retenir les sanglots que déclencha la vision de son guide spirituel. Elle le savait maintenant: cet homme lui était envoyé du Ciel par Lulu pour l'accompagner dans l'étape cruciale de sa guérison. Le moment était venu pour elle de rapatrier son amour de la vie malgré la mort de son enfant.

Prassana baissa alors les paupières pour mieux lire l'âme d'Élizabeth. En posant sa main sur le genou de la femme intriguée, il lui dit tendrement:

– Ma compassion et mon amour se déposent au plus profond de votre cœur maternel. Dieu vous admire, Élizabeth. Vous le savez sans doute, mais je vous le redis: votre petite fille est un ange et elle œuvre au sein de l'amour divin en ce moment même!

– Vous êtes un messager de lumière merveilleux! Merci d'être là ce matin et de m'aider à voir et à entendre ce que mes yeux et mes oreilles m'empêchent de capter.

Il hocha la tête en signe d'assentiment et lui demanda :

– Comment se porte votre mari ? Et vos enfants ? Parlez-moi de vous...

Surprise, Élizabeth ne savait pas par où commencer. D'abord, elle avait la nette impression qu'il savait déjà tout d'elle et de sa vie, alors que pouvait-elle lui raconter qu'il ne sut ?

– Eh bien, vous semblez connaître mon parcours mieux que moi-même. Je ne vois pas ce que je pourrais vous apprendre. Vous savez peut-être même ce qui m'attend, quelle est ma mission et à quel âge je vais mourir.

Il s'esclaffa joyeusement :

– Alors, voilà une piste intéressante. Laissez-moi vous expliquer la différence entre un messager spirituel et un guru. Avant tout, positionnons-nous clairement. Vous n'êtes pas venue me demander de vous prédire l'avenir, ni de vous guider dans votre chemin d'évolution. De mon côté, je ne vous révèle que ce qui m'est permis de voir en vous avec la permission de votre âme. Je ne connais rien de votre histoire personnelle, sauf ce que votre petit ange me demande de vous transmettre aujourd'hui. Je n'ai aucun pouvoir, ni aucun droit sur votre vie. Vous portez la sagesse, la connaissance, la joie, la compassion et l'amour en vous et vous êtes le seul Maître à bord de votre navire. Ce que vous voyez en moi, très chère Élizabeth, n'est rien d'autre que le reflet de vous-même.

– Mais pourquoi est-ce si difficile de me sentir à la hauteur devant toutes ces vertus que vous possédez et que vous m'attribuez maintenant ?

– Peut-être faudrait-il identifier cette petite voix qui vous fait sentir si *petite*. Si vous prenez le temps de bien l'écouter, vous pourriez reconnaître à quel moment de votre vie vous avez commencé à l'entendre, non pas en vous, mais à l'extérieur, dans votre entourage... du berceau jusqu'à maintenant... écoutez bien.

– Pour le moment, ça ne me vient pas.

– Revenez demain. D'ici là, écoutez le silence. Ne forcez pas... Ne cherchez pas... N'ayez crainte... Écoutez dans le calme de votre âme. Vous trouverez. Je prierai et vous aiderai à voir et à entendre... les yeux fermés, sans aucun bruit !

Puis, le guide spirituel joignit le pouce et l'index de sa main droite, les porta à sa bouche et siffla un long coup ! À travers les buissons, la course folle et les aboiements joyeux de son chien le faisaient sourire de contentement. Le magnifique labrador se tenait altier près de son maître, prêt à le guider jusqu'à sa maison en bordure de la mer.

Élizabeth tendit son bras à l'homme qui avait versé sur son âme un flot de lumière. Sa souplesse et sa droiture impressionnaient la jeune femme émerveillée. Ils se saluèrent alors avec l'intention mutuelle de se revoir à la même heure dès le lendemain matin.

Chapitre dix

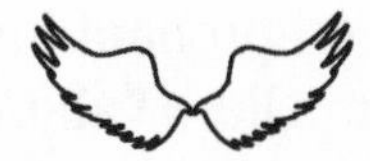

Pendant les heures qui suivirent, Élizabeth avait l'impression de marcher sur un nuage ! Les rencontres de ce type ne se vivant pas sans une certaine euphorie, l'intégration des nouvelles vibrations exigeait un ancrage immédiat. Devant la mer, au gré du vent, Élizabeth s'adonna avec bonheur à sa pratique quotidienne de yoga réalignant ainsi ses corps physique, émotionnel, intellectuel et spirituel.

La jeune femme avait suivi à la lettre les conseils du sage. Afin de ralentir l'activité mentale, elle avait dormi tout l'après-midi à l'ombre d'un palmier. De retour à sa chambre, elle sentit le besoin d'écrire, de laisser couler l'encre et de donner libre cours à son esprit, sans rien lui demander.

Tout juste avant d'ouvrir son cahier de réflexions, elle ferma les yeux pour mieux entendre en silence. Au bout de trois profondes respirations, elle perçut au bout d'un long couloir, un tout petit point jaune or. Elle fronça alors les sourcils pour tenter de comprendre la signification de ce qui semblait être un embryon. C'est alors que la voix du sage lui rappela : « Ne forcez pas… ne cherchez pas… » Elle reprit alors une longue inspiration en expirant l'avidité… en déposant les attentes. « Simplement, être et respirer », se disait-elle.

Comme par magie, tout en prenant forme, le point doré avançait tout doucement vers elle. D'abord un tronc, ensuite des jambes et des bras se dépliaient gracieusement. Puis, un visage, une chevelure châtaine et des yeux verts étincelants ! La silhouette d'une enfant s'arrêta alors et baissa tristement la tête.

Élizabeth versait des larmes de joie et de compassion devant le portrait très clair de sa petite fille intérieure. Elle avait six ans et elle portait sous son bras un ourson de peluche bleu ciel. Comme pour l'apprivoiser, Élizabeth attendit sagement qu'elle se rapproche encore un peu. Dans un geste d'accueil, elle ouvrit délicatement les mains et lui adressa son plus beau sourire. En son for intérieur, elle lui disait : « Quand tu seras prête, mon ange… je suis là pour toi ! »

C'est alors que la petite fille se tourna et alluma un grand écran sur lequel se projetait un chapitre de l'histoire de son enfance. Ces mémoires qui avaient été occultées pour la protéger étaient maintenant prêtes à se révéler. L'enfant accueillie par l'adulte pouvait en toute sécurité lui confier son secret.

Élizabeth sentait monter en elle une telle fébrilité qu'elle faillit se sauver. Mais, la voix de son guide résonna à nouveau, doucement : « N'ayez crainte… Écoutez dans le calme de votre âme. Vous trouverez. Je prierai et vous aiderai à voir et à entendre… les yeux fermés, sans aucun bruit. »

Les premières images étaient floues. L'odeur du foin chaud et humide lui donnait la nausée. La sensation des petites fourmis sur ses jambes accentuait le malaise et l'inconfort grandissants. « Respire, mon ange… respire », se répétait-elle pour se donner du courage. Un quatrième sens s'anima à son tour lorsqu'elle entendit le bruit grinçant de la porte de l'étable s'ouvrir. Le souffle de plus en plus court, Élizabeth se sentait étouffer. Affolée, elle demanda à la fillette de bien vouloir mettre le film sur *pause* et de l'amener prendre une bouffée d'air à l'extérieur.

L'image splendide de la campagne de son enfance apparue alors au grand écran !

Les champs de blés et de marguerites valsaient dans le soleil de ses plus beaux souvenirs. Libre et heureuse, elle se voyait courir et rire avec ses petits frères et sa grande sœur. Sa maman chantait en étendant la lessive et la fraîche odeur des draps claquant au grand vent remplissait son coeur de sécurité. Les vaches broutaient, les poules picoraient, les chiens gambadaient autour d'elle. Papa sur son tracteur lui faisait de grands signes avec sa casquette. L'enfant grandissait joyeuse, entourée d'amour et de tendresse ! Mais ce jour-là...

En s'allongeant sur le lit, Élizabeth fit signe à la petite qu'elle était prête pour la suite de la projection. Elle replongea alors au cœur du triste épisode. Plus elle sentait la force d'entendre et de voir le film, plus l'image s'éclaircissait. C'est alors qu'elle vit sa petite fille cachée derrière une charrette, sous l'épaisse couverture du cheval. Son cœur battait la chamade en entendant la voix du jeune homme qui répétait sans cesse « Éli ! Où te caches-tu ? Éli ! Je vais te trouver, tu sais ? » Sa voix malicieuse paralysait son corps tout entier. Le souvenir oublié du nouvel employé de la ferme ressurgit à son esprit comme un éclair. Lucien, légèrement déficient, apparaissait aux yeux de l'enfant comme un géant. À la vue de son torse nu reluisant de sueurs, elle eut envie de vomir. La gorge de sa petite fille intérieure se nouait, tandis que son corps tremblait de partout. « Chuttt…, disait-elle à son petit cœur cognant dans sa poitrine… il va nous entendre. »

C'est alors que d'un geste brutal, il souleva la couverture ! De sa grosse main souillée, il placarda le visage angélique de la fillette paralysée. Ses yeux presque exorbités nourrissaient déjà le plaisir de son agresseur. Des sons de bonheur et de terreur se mélangeaient aux creux des oreilles si pures de l'enfant. La voix angélique de sa maman chantait au loin, tandis que celle du détraqué lui promettait des bonbons si elle voulait bien être gentille. Son instinct de survie la poussait à se débattre tandis que la force animale de l'homme la clouait au sol. Ses grosses lèvres mouillées lui chuchotaient sur un ton débile : « N'essaie pas de te sauver Éli… tu es trop *petite* et moi je suis *grand et fort*. Tu es très belle, Éli. Très, très belle… et toute *petite*. Et c'est ça que j'aime… les petites filles comme toi. Je ne te ferai pas mal, si tu ne cries pas et que tu te laisses faire. Ok ? »

Élizabeth reconnut aussitôt les programmations de *petitesse*, de *peur de ne pas être à la hauteur* et d'*impuissance* enregistrées au cœur de son enfance par ce terrible traumatisme. Elle s'assit alors sur le bord du lit, prit sa petite Élizabeth sur ses genoux et lui dit : « Il faut crier à l'aide maintenant. Allez, crie avec moi ! PAPA… AU SECOURS… PAPA ! »

Aussitôt, les deux immenses portes de l'étable s'ouvrirent sur la scène du viol interrompu ! Le père d'Élizabeth se jeta à la gorge de l'employé à moitié nu en le renversant sur le sol. Il aurait tué l'agresseur de son petit ange, si la pelle que tenait sa femme Louise ne s'était pas abattue sur la tête du monstre pour l'assommer.

L'enfant tremblotante répétait sans cesse en sanglotant : « Je suis trop *petite*, j'étais pas capable, je suis pas assez forte. »

À ce moment précis, la grande Élizabeth s'infiltra dans le scénario pour venir au secours de la fillette traumatisée. Elle la prit sur son cœur jusqu'à ce que les tremblements cessent. Ensuite, elle lava tendrement le corps menu des souillures de l'agresseur, l'enduit d'huile de lavande et la revêtit d'un pyjama chaud et soyeux.

En caressant son front et ses cheveux d'ange, elle s'adressa alors à son âme pour nettoyer toutes traces de violence humaine : « Tu es dans un petit corps et tu es si grande à la fois. Tu brilles ! Tu n'as rien provoqué et tu n'as rien fait de mal. Tu es amour et lumière. Je t'aime, je t'aime tant mon petit ange de soie ! Je serai là pour toi… de l'enfance au paradis, ma chérie ! » Élizabeth et sa petite se bercèrent jusqu'à s'endormir… heureuses et paisibles. À l'aube, main dans la main, elles marchèrent jusqu'à la plage pour bâtir ensemble le plus beau des châteaux de sable ! Élizabeth admirait du coin de l'œil la souplesse et la créativité de l'enfant merveilleuse qu'elle avait été :

– Merci mon ange de m'avoir rappelé notre blessure et de m'avoir fait confiance. Et bravo pour avoir crié à l'aide. Tu es ma championne ! lui dit-elle.

– Oh ! Regarde là-bas comme il est beau le chien… et il court vers nous ! s'exclama l'enfant retrouvée.

Dans un élan de joie, le chien guide de Prassana se blottit contre Élizabeth qui se roula dans le sable, tenant dans ses bras le souvenir de Toby, son chien fidèle, son ami d'enfance, son protecteur.

Spontanément, l'image si précieuse de son papa la prenant sur ses épaules et de Toby, marchant en bon gardien à leurs côtés, lui rappela l'incomparable sentiment *d'être grande et en parfaite sécurité*. Élizabeth souleva alors son enfant et lui offrit une place de premier choix... au-delà de sa tête et si près de son cœur !

Chapitre onze

Le grand sourire du sage accueillait Élizabeth à cette deuxième rencontre inespérée. La jeune femme se sentait si privilégiée d'être accompagnée par cet être d'exception rayonnant de joie et d'amour.

Assis en position de lotus, Prassana traçait un cœur dans le sable. En plaçant ses index devant lui et au milieu de son corps, il contournait ses genoux, son bassin et jusque derrière lui pour compléter son dessin. Élizabeth touchée par ce geste prit place à ses côtés et l'imita. Heureux de sentir sa nouvelle amie se joindre à lui, il lui dit à voix basse :

– Nous envoyons un message à la Terre Mère, pour lui signifier notre amour et notre reconnaissance ! C'est bien... c'est bien... continuons !

En se penchant, il agrandissait chaque fois son mouvement le plus loin possible devant puis derrière lui.

– Notre amour grandit chaque fois que nous envoyons un message du cœur à cette merveilleuse planète souffrante. Vous êtes d'accord ?

Pour toute réponse, Élizabeth répétait le geste gracieux en joignant une respiration yogique au soin qu'elle offrait à la Terre.

Le sage poursuivait son enseignement en chuchotant :

– Et le plus merveilleux est que nous sommes le Centre de cet amour ! À partir de l'extrémité de notre tête, soit du chakra de la couronne, coule une lumière dorée jusqu'au tronc. De là, le prana se déverse dans nos racines qui se fraient un chemin et s'ancrent solidement au cœur de la Terre. N'est-ce pas merveilleux ? Du Ciel, nous sommes raccordés au Père Divin et de la Terre, nous sommes reliés à notre Mère Divine !

Harmonieusement, ils répétèrent le rituel sept fois en terminant par une douce méditation. Au bout d'un long moment, le soleil qui s'était levé sous la couverture d'un ciel nuageux, se montra enfin le bout du nez. Le vieil homme se mit à rire et accueillit l'astre solaire en chanta d'un air joyeux :

Bonjour soleil... Good morning sunshine... Hola sol...
Hallo zon... Ciao sole !

Élizabeth, qui connaissait ces langues, entonna en chœur le salut au soleil de tous ces pays. Un profond sentiment d'unicité habitait ces deux êtres de lumière. En la présence de Prassana, la jeune femme avait l'impression de toucher au ciel tout en étant bien enracinée dans son univers occidental. C'est alors qu'elle se tourna vers lui et lui dit :

– La voix du silence m'a guidée droit au cœur de ma petite fille de six ans et je veux vous remercier pour m'avoir montré le chemin pour y arriver. Vous êtes un...

– Un être humain, tout simplement. Je n'ai rien de plus que vous, Élizabeth.

Comme tous les êtres vivants de la Terre, j'aspire au bonheur et je ne veux pas souffrir. À la source de toute vie brûle une flamme divine. Nous naissons tous avec cette étincelle en nous et dépendamment de l'accueil que nous recevons à la naissance, cette lumière s'estompe ou jaillit de tous ses feux et se répand autour de nous.

– Mais comment peut-on récupérer le feu sacré après avoir connu l'abandon, la misère, la guerre et la violence ?

L'homme souriait en silence. Il réfléchissait avant de répondre à cette question bien humaine.

– La vérité se trouve en chacun de nous, chère enfant ! C'est-à-dire que je n'ai que ma réponse... celle que mon parcours m'a donnée. Personne ne peut prétendre connaître *la vérité*, voyez-vous ? Donc, notre histoire personnelle, et la transformation que nous en avons faite est la seule vérité qui nous appartienne ; et ça ne veut pas dire qu'elle soit celle de l'autre.

Le silence qui suivit indiquait à Prassana la déception d'Élizabeth face à cette réponse, en sons sens, évasive. D'un petit rire moqueur, il lui dit :

– Ça ne fait pas votre affaire cette réponse floue... n'est-ce pas ?

Gênée par sa perspicacité, elle répondit :

– Ah ! Mais, non... ça va. Sauf que je devrai y réfléchir. J'essaierai d'aller voir en moi et trouver cette réponse.

– En fait, ce n'est pas nécessairement d'une réponse dont vous avez besoin, chère amie. Mais plutôt d'un portrait... d'une illustration... d'une histoire. Les grands philosophes racontent de bien belles théories, dans de bien grands mots ; toutefois, pour le commun des mortels et pour celui dont l'âme a soif de connaissances et surtout de points de repère, ce n'est pas facile de s'y retrouver. Alors, les messagers du Ciel sur la Terre ont pour mission de témoigner de leur parcours... de raconter !

– J'adore les contes et les conteurs ! Vous avez une histoire à me raconter, Prassana ?

Il riait encore ! Sa joie débordante était contagieuse. Et voilà qu'il commença son récit.

– J'étais tout petit garçon lorsque la guerre éclata dans mon pays ! J'avais neuf ans et nous vivions tranquilles à la campagne, mes quatre frères, mes trois sœurs, ma mère et moi. Mon papa est mort quelques mois après ma naissance et celle de ma sœur jumelle. Une crise cardiaque foudroyante le cloua au sol, alors qu'il travaillait au champ, sous un beau soleil de mai. Ma mère m'a souvent parlé de lui, de son amour pour moi et pour nous tous. Toute ma vie, j'ai gardé une image très vivante de mon père. Mes parents s'aimaient profondément et nous avons hérité de cet amour qui nous a suivis tout au long de notre vie.

– Alors c'est vrai que les enfants qui sont conçus et qui naissent dans l'amour ont plus de chance d'être heureux dans la vie ?

– Le germe de l'amour se trouve au fond de notre âme. Mais, s'il est arrosé et ensoleillé par l'amour de nos parents dès la naissance, il a plus de chance de pousser, de grandir et de devenir la fleur qu'il est destiné à être. Par ailleurs, la flamme sacrée demeure toujours vivante ; d'une incarnation à l'autre, nous la portons et elle peut nous servir en tout temps à brûler le karma négatif et à transcender l'ego, soit la partie inconsciente et ignorante en nous.

– Lorsque vous parlez d'*ignorance*, qu'est-ce que vous voulez dire ?

– Ignorer la présence du sacré en nous. Ignorer la puissance de l'amour que nous portons ainsi que la mission que nous avons choisi d'accomplir dans cette vie. Ignorer le mal que nous pouvons répandre en ne sachant pas qui nous sommes. Ignorer la beauté et la grandeur de la création. Ignorer l'amour de Dieu pour nous et la souffrance de la Terre. Ignorer le *Grand Plan* !

– Et comment fait-on pour connaître ce *Grand Plan* ?

– Lorsque la guerre a éclaté et que les soldats sont venus mettre le feu à notre maison, j'ai vu pour la dernière fois le visage de ma mère. J'ai vu aussi la puissance de l'amour à l'œuvre à travers la force physique qu'elle a déployée en nous sauvant tous de cet enfer.

Les yeux fermés, Élizabeth écoutait le récit se déroulant dans son esprit aussi clairement que si elle y était. L'intonation, la respiration, la vibration des mots la transportaient droit au cœur du drame.

– Et puis, j'ai vu… pour la dernière fois. Une explosion dont je n'ai jamais pu connaître la source m'a propulsé à plusieurs mètres, emportant avec elle ce que je croyais avoir de plus précieux… la prunelle de mes yeux !

Élizabeth pleurait en silence, retenant son souffle pour ne pas perdre un seul mot du récit de son maître spirituel.

– Affolé, je courais alors dans tous les sens, les mains devant moi afin de sonder le danger. Les cris stridents des animaux en flammes dans l'étable, les pleurs et les hurlements de mes frères et sœurs m'effrayaient tout en m'orientant dans leur direction. Soudainement, une main ferme m'a attrapé et deux grands bras m'ont transporté jusqu'au ruisseau. Cette main était celle d'un homme. Une main forte et si grande. Sur le moment, j'ai cru qu'il s'agissait de mon frère aîné alors âgé de vingt ans. Pourtant, lorsque ma mère me sortit la tête de l'eau, il n'y avait personne à mes côtés. J'ai vite compris qu'il s'agissait de mon papa de là-haut !

Prassana prit une longue inspiration et expira le souvenir le plus triste de sa vie avant de le raconter.

– Ma pauvre petite maman me tenait dans ses bras brûlants en répétant sans cesse : « Tu verras, tu verras, mon ange. N'aie pas peur… tu verras à nouveau ». Sur ces mots d'espoir et de réconfort, elle se mit à tousser, puis à vomir comme si toute la fumée inhalée cherchait une porte de sortie. Puis, j'ai senti à nouveau la main de mon père se poser fermement sur mon épaule, pendant que les bras de ma mère me relâchaient doucement. C'est alors que j'ai entendu la voix de mon paternel : « Tu verras mieux que quiconque, mon enfant, car tu verras l'essentiel. Tu aideras même les gens à voir. Le

Grand Plan est à l'œuvre. Nous guiderons tes pas. Courage petit homme… nous sommes avec toi. »

Malgré l'horreur de cette histoire, Élizabeth était habitée par un sentiment de bien-être. Elle ressentait même une forme de culpabilité de ne pas être bouleversée par la tragédie qui se déroulait sous ses paupières toujours closes.

Le raconteur avait atteint son but qui n'était certes pas celui de chavirer le cœur de son amie. Il s'était donc assuré d'amener le récit du drame le plus lumineusement possible.

– Afin de me protéger, certaines mémoires ont été occultées. Notre système d'autoprotection est parfaitement conçu, de sorte que l'enfant se trouvant en état de choc et de survie a besoin d'effacer certaines images du tableau de la tragédie. Plus tard, au cours de notre chemin d'évolution, nous aurons la force et les outils pour revisiter ces zones blessées et porter main-forte à l'enfant qui vit toujours en nous. Comme tu l'as si bien fait pour ta petite fille agressée !

Il savait donc… il pouvait vraiment voir et entendre l'essentiel au-delà des apparences ! Émerveillée, Élizabeth se tourna alors doucement vers l'être de lumière et posa sa main sur son épaule :

– Et que vous est-il arrivé par la suite ? Vos frères et sœurs ont-ils tous survécu ?

– Mon oncle, qui a toujours habité avec nous, était parti au village ce jour-là. Afin de se protéger des chevaliers armés, il avait traversé la forêt plutôt que d'emprunter les sentiers battus. Lorsqu'il vit au loin la fumée monter dans le ciel, il a vite compris que nous avions été attaqués. Oncle Jag était le gardien de la famille. D'ailleurs, c'était la promesse qu'il avait rédigée à mon père sur un bout de papier qu'il avait déposé sur sa dépouille. Mes frères et sœurs nous avaient longuement cherché, ma mère et moi. J'entendais leurs cris pour nous repérer, mais aucun son ne réussissait à sortir de ma bouche. Mes premières heures d'aveuglement se vivaient sur un autre plan... peut-être bien, dans le *Grand Plan* !

– Votre oncle vous a donc tous retrouvés sur le bord du ruisseau ?

– Cette scène restera éternellement gravée dans mon cœur, Élizabeth ! Nous étions tous réunis autour du corps de notre mère adorée. Il est difficile pour moi de décrire l'état d'âme dans lequel nous baignions tous. Ma grande sœur me tenait sur son cœur, promettant à Maman de me protéger... ce qu'elle fit d'ailleurs jusqu'à sa mort. Puis, un à un, nous avons dit à notre mère de ne pas s'inquiéter pour nous, que nous allions prendre soin les uns des autres et qu'elle pouvait rejoindre notre père en paix. Vous imaginez la force de l'amour à l'œuvre au sein d'une famille ?... comme c'est puissant ! Comment ne pas croire en une conscience suprême, au-delà de nous et en nous à la fois. La vie est si belle...

Élizabeth ne pouvait plus prononcer un seul mot. Devant la grandeur de cette âme, elle pouvait reconnaître la force de la résilience humaine à l'œuvre. Prassana reprit le cours de son histoire :

– Lorsque mon oncle nous eût retrouvés, il tomba à genoux et s'effondra en larmes. Plus rien devant nous... plus rien derrière nous ! Le feu avait tout rasé... tout avalé ! Il avait emporté tous nos souvenirs, nos biens et l'être le plus cher à nos cœurs... Maman ! Je me souviendrai toujours de ma sœur jumelle attendant que mon oncle ait épuisé son chagrin et lui dire : « Oncle Jag, où va-t-on dormir ce soir ? » Et notre oncle dans sa bonté infinie de lui répondre sans hésiter : « Dans mes bras, les enfants... dans mes bras. »

Pendant quelques instants, Élizabeth et Prassana se recueillirent pour rendre hommage à l'oncle Jag.

– Le lendemain matin, nous avons enterré notre mère en lui chantant la berceuse de notre enfance ! Oncle Jag avait une très belle voix, mais ce matin-là, elle était tremblante et railleuse. Nous avons tout de même chanté de tout notre cœur pour celle qui nous avait donné la vie et appris à la vivre avec courage et compassion. Ma mère était une femme généreuse, bonne et si aimante !

Touchée par cet hommage à sa mère, Élizabeth se rappela cette même phrase qu'avait prononcée Jean-François juste avant son départ : « Tu es une maman généreuse, remplie de bonté et d'amour. »

– Puis, poursuivit-il, nous sommes descendus au village et nous avons quêté auprès des quelques habitants épargnés. La communauté s'est réunie pour s'entraider et de jour en jour, nous avons rebâti nos maisons, notre ville, notre pays, notre monde ! Je n'avais que 12 ans lorsque je suis entré pour la première fois dans un monastère. J'y ai vécu durant 30 ans et depuis, j'ai parcouru le monde pour offrir mon message d'amour et d'espoir. En 93 ans, j'ai vu plus d'âmes et de cœurs se reconstruire et guérir devant *mes yeux* qu'aucun médecin n'en verra jamais. Ma mission s'est accomplie naturellement, en suivant le courant de la vie.

Voilà, mon enfant, ce qu'est le *Grand Plan* pour moi...

L'énergie enveloppant le cœur du centenaire débordait de compassion et d'amour. Élizabeth, maintenant assise devant lui s'inclina respectueusement et remercia son âme pour ces enseignements vivants et vibrants de sagesse.

– Namasté ! murmura-t-elle.

– Namasté ! lui répondit une voix d'enfant.

Surprise d'entendre la voix de Lulu, elle ouvrit les yeux. L'aveugle avait disparu... laissant dans le sable, son cœur gravé près du sien. Face à la mer, Élizabeth posait un regard tout neuf sur la vie !

Chapitre douze

Durant les trois jours qui suivirent sa visite, Larry avait pris la relève auprès de Suzanne. Mireille, leur fidèle amie, accueillait ce répit avec soulagement en plus de se réjouir des retrouvailles du couple. Depuis le diagnostic de cancer, elle rappelait sans relâche à son amie l'importance de soigner la source de sa maladie. Le traitement à l'âme accompagnerait maintenant les soins offerts à son corps.

Suzanne n'avait manifesté aucune résistance lorsque Larry lui avait offert de passer quelques jours auprès d'elle dans la maison où ils avaient vécu une grande partie de leur vie ensemble. Dans sa grande sagesse, il s'était mis à l'écoute de la femme qu'il aimait toujours profondément. Son parcours de réconciliation avec lui-même lui avait appris que le silence et la compassion sont les outils d'accompagnement les plus efficaces, et que rien au monde ne peut mieux aider l'autre que de lui laisser trouver les réponses en elle-même.

La première journée, Suzanne avait dormi les deux tiers du temps. Le lendemain matin, un regain d'énergie commençait à se faire sentir. Larry en avait profité pour l'amener marcher dans les sentiers. Au cœur de la nature, cet endroit leur offrait un espace de calme et de sérénité idéal pour se retrouver.

Suzanne avait changé. Elle avait cessé de se battre contre elle-même, de résister, de tenter d'être forte. Elle commençait peu à peu à s'accueillir et à se prendre avec douceur. Larry s'attendrissait autant devant sa vulnérabilité que devant son courage. Il découvrait la vraie Suzanne… celle qui acceptait enfin son aide. Celle qui lui avait tant manqué ! Ils étaient là l'un pour l'autre, sans attentes… sans conditions.

– Tu te souviens de notre première marche dans ce boisé ? lui demanda-t-elle en souhaitant qu'il en fasse le récit.

– C'était un dimanche après-midi de printemps. Les sentiers n'étaient pas battus et la maison n'existait pas encore. Nous arpentions le lot qui allait devenir notre terrain, sur lequel nous bâtirions notre demeure. Nous avions 30 ans…

Il s'arrêta, les yeux mouillés par le doux souvenir de ces moments si heureux. Il serra la main de Suzanne et reprit la marche en poursuivant :

– Tu portais un jeans, un pull bleu marin et un foulard beige. Tes yeux brillaient d'excitation et tu ne cessais de parler, d'étaler ton plan, de dessiner la beauté de notre paradis. Et j'acquiesçais à tout ce que tu proposais, parce que tout ce que je souhaitais c'était de te rendre heureuse et de t'offrir la maison de tes rêves !

C'était maintenant au tour de Suzanne de laisser couler les larmes de ce bonheur partagé. Elle souriait devant le film qu'ils regardaient ensemble, en espérant qu'il puisse se dérouler sans fin. Elle reprit :

– Et tu m'as dit ?

– Et je t'ai dit : « Oui, mon amour ! On l'achète et c'est ici qu'on va bâtir notre maison, notre famille, notre vie ! » Et je t'ai pris dans mes bras, ici même...

La gorge nouée, Larry ne pouvait plus continuer. Au bout de ce long chemin parcouru à travers tant d'épreuves, épuisés, ils s'abandonnèrent dans les bras l'un de l'autre, au coeur de la forêt qui avait vu naître leurs plus beaux rêves maintenant ensevelis par la mort de Zachary. Après un long silence, Larry prit le visage de son amoureuse entre ses mains et laissa son cœur parler :

– Notre fils n'a pas voulu détruire nos vies en se suicidant... j'en suis persuadé, Suzanne ! Il n'a pas souhaité tout emporter avec lui. Il nous a amenés ici aujourd'hui pour nous montrer le chemin de la reconstruction. Je le sens si présent... si près de nous en ce moment !

Suzanne baignait dans une grande sérénité. Caressant sa chevelure crépue, elle lui dit tendrement :

– C'est ici que notre fils a été conçu ; c'est ici qu'il vient nous redonner la vie ! Regarde-moi, chéri...

Pour la première fois, Larry sentit la force spirituelle de Suzanne prendre la barre et mettre le cap sur l'espoir. Leurs regards n'avaient jamais sondé leurs âmes avec autant de profondeur. Elle continua :

– Aujourd'hui, c'est à mon tour de te dire : « Oui, mon amour... c'est ici qu'on va vivre notre vie, peu importe le temps qu'il nous reste. C'est ici que je m'engage à me donner le droit d'être heureuse, même si notre fils s'est enlevé la vie.

C'est ici que je te promets de prendre tous les moyens et toutes les médecines susceptibles de contribuer à la guérison de mon sein ! C'est ici que je dis *oui, je le veux*, à la vie » !

La prière de Larry était exaucée. Le message de Zachary s'était rendu droit au cœur de sa mère. Une porte s'ouvrait devant eux... une porte qu'ils avaient cru fermée à jamais !

Témoin de ces engagements, Zachary, accompagné par les anges Raphaël et Lulu, pouvait maintenant entrer dans la lumière et poursuivre son chemin d'évolution vers une autre forme de vie. Les parents, conscients de la libération qu'ils offraient à leur fils par ce pacte d'amour, le laissaient maintenant partir en paix.

***

En l'espace de deux semaines, Larry avait réaménagé dans sa maison. À la retraite de l'enseignement depuis trois ans, le chauffeur de taxi avait choisi ce rôle pour garder un contact avec l'extérieur et surtout pour se sentir utile auprès de ceux et celles qui avaient besoin d'être accompagnés pour *rentrer chez eux* ! Sous le couvert de l'anonymat, l'homme accomplissait sa mission d'ange terrestre, tout en avançant sur le chemin de la conscience.

C'est à l'âge de 15 ans que la maladie de bipolarité avait été diagnostiquée chez Zachary. La guerre dura jusqu'à sa mort. Durant neuf ans, Suzanne s'était battue avec lui pour le convaincre de prendre la médication. Malheureusement, l'adolescent en rébellion avait goûté aux drogues et développé très tôt une dépendance à ce qu'il appelait son *remède miracle*.

Pendant toutes ces années, Suzanne avait ignoré les nombreux signaux de la vie. Le cancer était maintenant le dernier cri de détresse de son corps ! Pendant plus de 35 ans, elle s'était dévouée auprès des délinquants juvéniles, à titre de travailleuse sociale tout d'abord, puis de psychologue. Comment pouvait-elle se pardonner ce qu'elle avait jusque-là considéré comme un échec face à son propre fils ? Impossible pour elle de laisser tomber tous ces jeunes en souffrance ; au contraire, il lui fallait tous les sauver !

Le grand ménage exigeait des prises de conscience rapides. Les métastases se frayaient un chemin vers le foie et les poumons, diminuant chaque jour les chances de survie. La course entre les cellules malades et les cellules en santé était serrée. Mais la femme battante et courageuse continuait de mettre toutes les chances de son côté en choisissant la médecine globale. Attentive à toutes les parties d'elle-même, elle luttait sans relâche.

Larry soutenait Suzanne sur tous les plans et se joignait à elle dans la prière et la méditation afin de mettre au service de son corps tout l'amour et la lumière nécessaires à sa guérison. Il animait pour elle des séances de visualisation, la conduisait chez un thérapeute, à l'hôpital, en soins énergétiques. Jour et nuit, il était là pour elle.

De temps à autre, Mireille prenait le relais pour son plus grand bien. Ce jour-là, alors que les deux amies prenaient le petit déjeuner ensemble au restaurant, Larry reçut un coup de fil inattendu :

– Euh ! Bonjour... Monsieur Dunn s'il vous plaît ?

– Lui-même...

– Vous êtes bien le père de Zachary ?

Un pincement au cœur de Larry retarda sa réponse :

– Euh ! Oui, pardon... excusez-moi, mademoiselle. Malheureusement, Zach...

– Oui, je sais. Il est décédé. Je suis au courant. Écoutez, je dois vous parler. J'ai besoin de vous rencontrer.

– Puis-je savoir à qui je m'adresse, d'abord ?

– Oh ! Je suis désolée... dans mon énervement, j'ai oublié de me présenter. Excusez-moi, monsieur ! Je m'appelle Valérie. J'étais une... une amie de Zach. Vous a-t-il déjà parlé de moi ?

– Peut-être, je ne me souviens pas. Vous savez, après la tragédie, j'en ai perdu des grands bouts. Mais, enfin... je ne me rappelle pas avoir entendu votre nom, mademoiselle. Je suis désolé.

– C'est pas grave. Je comprends. Zach était plutôt secret, je sais. Mais... moi, j'ai beaucoup entendu parler de vous et de votre femme. Votre fils vous aimait vraiment beaucoup, vous savez.

– Ça me touche ce que vous me dites. À la fin, notre relation avec lui était très difficile. La communication n'était pas très bonne et nous étions sans nouvelles de notre fils depuis trois semaines lorsqu'il est décédé. Mais, pour revenir au but de votre appel… dites-moi de quoi voulez-vous me parler ?

– Eh ! bien… je dois vous voir. Je ne peux pas vous en parler au téléphone.

– C'est que, voyez-vous, ma femme est très malade et je ne peux pas me libérer facilement.

– Oui, je sais. Mais, il faut absolument que je vous parle seul à seul, dès que possible.

– Mais, comment savez-vous que Suzanne est malade ?

– Je vous expliquerai tout ça quand on se verra. Pouvez-vous venir maintenant ?

– Maintenant ? Mais, où ça ?

– Chez moi. C'est tout près de chez vous. Vous traversez le pont et c'est à deux rues. Je vous en prie monsieur Dunn… accordez-moi une heure seulement ; c'est très important.

Sceptique et curieux à la fois, Larry nota l'adresse en lui posant une dernière question.

– Écoutez, Valérie… je sais que mon fils a pu vous emprunter de l'argent ou vous créer des problèmes quelconques en lien avec le trafic de drogue, mais je veux vous…

Elle l'interrompit aussitôt :

– Il ne s'agit pas de ça, monsieur. Croyez-moi… je n'ai rien à vous demander… vraiment rien !

– Bien… à tout d'suite alors !

Larry stationna la voiture devant un immeuble de logements à prix modiques. L'environnement propre et tranquille le rassura. Sa crainte était qu'il puisse y avoir d'autres personnes qui l'attendaient pour lui demander de régler les dettes de Zachary.

Au bout du couloir, la porte de l'appartement 12 était déjà ouverte. La jeune femme l'attendait :

– Bonjour, monsieur Dunn. Merci d'être venu. Entrez, je vous en prie.

Le logis propre et bien rangé laissait aussi croire qu'elle vivait seule, ce qui rassurait encore davantage l'homme intrigué.

– Vous prendriez un bon café ?

– Non, merci. Je n'ai pas beaucoup de temps. Ma femme va bientôt rentrer. Alors, si vous voulez bien m'expliquer de quoi il s'agit, s'il vous plaît.

– Pour tout vous dire, j'ai eu un peu de peine lorsque vous m'avez dit que Zach ne vous avait jamais parlé de moi. En fait, je ne suis pas une amie de votre fils, monsieur Dunn. J'ai été et je suis toujours amoureuse de lui. Je ne suis plus capable de vivre avec toute cette culpabilité. Alors, je veux vous dire ce qui s'est passé la veille de son départ.

Larry respira profondément, enleva son manteau et s'assit à la table de la cuisine.

Valérie était une très jolie jeune femme, sans artifices et habillée sobrement. Son regard intelligent et son charisme inspiraient confiance. Larry avait peine à croire qu'une femme aussi saine de corps et d'esprit ait pu entrer dans la vie cahoteuse de son fils. Mais, il connaissait aussi sa force d'attraction et son talent d'enjôleur. Tout le monde tombait sous le charme du beau métis!

Courageusement, l'amoureuse en deuil se lança:

– Votre fils entrait et sortait de ma vie comme il voulait. Vous allez me dire que je l'ai bien voulu... et c'est vrai. Je l'ai laissé me manipuler en sachant très bien qu'il ne m'aimait pas. Aujourd'hui, je comprends. Zach ne pouvait pas aimer personne... il ne s'aimait pas. Il se détestait. Il cherchait l'amour de tout l'monde, tout l'temps! J'ai pas été la seule qu'il a blessée. Vous aussi, vous avez dû avoir mal. C'est vrai que je lui ai prêté de l'argent qu'il ne m'a jamais remis et ça, c'est à part de ce qu'il m'a volé. Mais, ne vous en faites pas... ça fait longtemps que j'ai oublié ça.

– Mais comment avez-vous pu le laisser faire... une belle personne brillante comme vous, Valérie?

– Mon premier et dernier amour c'est Zachary. Je pensais pouvoir le changer... le sauver... l'aider à sortir de l'enfer de la drogue. Moi, j'ai pas ce problème-là. Je n'ai jamais consommé et j'aurais jamais pensé qu'un jour je tomberais en amour avec un junkie. Tout dans ma tête me disait que c'était pas un gars pour moi. Mes parents ont tout fait pour me faire entendre raison… rien à faire ! J'avais 17 ans et j'voulais rien comprendre. Le jour où je l'ai vu pour la première fois, dans un party chez une amie, mon cœur a chaviré. Je l'ai aimé au premier regard et je me suis dit que je le rendrais heureux et qu'avec moi, il ne serait pas pareil, qu'il changerait. Je me suis trompée, vraiment !

– Vous disiez qu'il parlait souvent de nous, ses parents ? Je me suis toujours demandé ce qu'il pensait de nous… je ne l'ai jamais su.

– L'expression qu'il utilisait le plus souvent pour parler de son père était « mon héros ».

Larry déglutit. La voix grinçante, il ajouta :

– Ah ! Oui ? C'est vrai ? Continuez… je vous en prie.

– Il disait que vous étiez toujours là pour lui et que vous lui avez tout appris, mais qu'il n'était pas digne d'avoir un père comme vous. Il disait que vous étiez la bonté en personne… Trop bon, même.

– Mon Dieu… cher enfant !

Larry essuyait ses larmes du revers de sa manche. Valérie lui apporta une boîte de papiers mouchoirs.

– Et que disait-il de sa mère ?

Valérie inclina la tête et versa quelques larmes avant de lui remettre la lettre que Zachary avait écrite pour sa mère et qu'elle avait trouvée quelques jours plus tôt dans la poche d'un chandail qu'elle avait gardé de lui.

– Voilà ! lui dit-elle en lui remettant l'enveloppe cachetée sur laquelle était écrit : « Poème pour ma mère ». Une amie qui travaille au centre de santé où travaillait votre femme m'a dit qu'elle était très malade. En découvrant l'enveloppe la semaine dernière, je me suis dit que Zachary voulait peut-être l'aider de l'au-delà. Ça peut paraître « flyé », mais moi j'y crois.

Ému, Larry glissa la précieuse missive dans la poche de sa veste.

– Merci... merci beaucoup ! Je crois aussi que Zachary veille sur sa maman malade. Vous êtes un ange et je lui demande de veiller sur vous et de...

Elle l'interrompit poliment, en posant sa main sur la sienne :

– Il le fait, monsieur... je peux vous le dire ! Il le fait déjà...

– Et vous vouliez me parler de votre sentiment de culpabilité ?

– Ouais... c'est surtout de ça que je voulais vous parler. J'aurais peut-être dû vous dire tout ça ben avant, mais j'me sentais pas capable. J'avais tellement peur...

Elle se mit à pleurer. Larry écoutait. Il lui laissa tout son temps pour révéler le secret qui pesait sur son cœur depuis la tragédie.

– La veille, il est venu me voir pour me demander de l'argent pour sa drogue. J'ai refusé et je lui ai dit que je ne voulais plus l'voir. Que c'était fini et que j'avertirais la police si il remettait les pieds chez moi. J'en pouvais plus, monsieur Dunn. Je lui ai dit qu'il était menteur, manipulateur, irresponsable et lâche. Je l'ai traité comme ça pour qu'il parte. Pour me donner toutes les raisons de l'haïr, de m'en défaire. C'était la première fois que j'osais le démasquer et il s'est enlevé la vie à cause de moi…

La jeune femme était maintenant inconsolable.

– Mais non, Valérie. C'est pas votre faute. Zachary refusait de se faire soigner et de prendre ses médicaments. On pouvait rien faire pour lui, ma belle enfant. La culpabilité est poison. Il faut vous faire aider, sinon toute votre vie vous allez être malheureuse. Vous avez fait ce qu'il fallait… lui redonner la responsabilité de sa vie et vous protéger. Zachary savait où aller pour trouver de l'aide. Mais de cette aide-là, il n'en voulait pas.

Le visage enfoui dans ses mains délicates, elle n'arrivait pas à poursuivre son récit.

– Respirez bien maintenant. Prenez le temps qu'il faut… je vous écoute. Je ne vous juge pas et je ne vous en veux pas.

Après quelques minutes, Valérie regarda Larry droit dans les yeux et lui dit :

– Cette journée-là, je venais d'apprendre que j'étais enceinte. Je lui ai pas dit. Je voulais pas qu'il le sache. Je voulais pas que mon enfant aye un père comme ça… violent et accro ! J'avais déjà pris mon rendez-vous pour me faire avorter, mais j'ai pas voulu lui dire. Peut-être que si il avait su, qu'il m'aurait dit « on le garde » et qu'il aurait changé...

Et elle sanglotait de plus belle !

– Pauvre petite ! Je peux vous tutoyer ?

Elle hocha la tête en signe d'assentiment.

– Crois-moi, Valérie... tu as pris une très sage décision. On ne change pas pour les autres. Que ce soit pour nos parents, une amoureuse ou un enfant, ça ne marche pas. Tant et aussi longtemps qu'on ne fait pas les choses pour Soi, ça ne dure pas. Zachary refusait l'amour qu'il cherchait pourtant désespérément. L'amour, le vrai... celui qui vient du fond de nous-mêmes. Je ne crois pas qu'il aurait pu prendre la responsabilité d'un enfant... il n'arrivait pas à prendre soin de lui-même.

Valérie réfléchissait. Elle se préparait à lui annoncer la nouvelle lorsque des petits pas se firent entendre dans le corridor. Larry se tourna doucement et vit apparaître un petit homme haut comme trois pommes, traînant sa doudou appuyée sur un visage foncé, aux yeux noirs comme le charbon et aux cheveux bouclés. Nul doute... le vrai portrait de son père !

Timidement, l'enfant longeait le mur du corridor en fixant l'homme qui ignorait jusque-là la présence de son petit-fils sur la Terre. Le sang de son sang... l'héritage de son fils bien-aimé !

Larry retint le flot de ses émotions pour ne pas effrayer le petit garçon revenant du pays des rêves. L'inquiétude de Valérie se transforma en un grand soulagement lorsqu'elle vit sur le visage de Larry, la joie plutôt que la colère face au secret bien gardé.

En chuchotant, elle lui défila en vitesse son plaidoyer :

– J'avais tellement peur que vous pensiez que j'étais trop jeune et que je n'avais pas d'argent pour le faire vivre. J'avais peur que vous demandiez la garde pour remplacer votre fils par mon bébé ? Toutes ces peurs me passaient par la tête. Je voulais pas qu'on m'enlève l'amour qui me restait de Zach ! Vous comprenez ? Mes parents m'ont aidé ; ne vous inquiétez pas, il ne manque de rien et surtout pas d'amour.

Larry comprenait parfaitement...

– Je m'excuse de vous avoir privé de ce petit amour pendant trois ans. Lorsque j'ai su que votre femme était malade et que j'ai ensuite trouvé le poème, j'ai compris que je n'avais pas le droit de vous séparer les uns des autres. J'ai fait mes preuves maintenant. On ne vit pas riches, mais c'est correct...

Valérie continuait de défiler son exposé, mais Larry ne l'entendait plus. En extase devant cet être de lumière, il croyait rêver. L'enfant et le grand-père ne s'étaient pas quittés des yeux. Tranquillement, ils s'apprivoisaient... se reconnaissaient ! Puis, le petit Olivier alla s'asseoir sur les genoux de sa maman et il lui adressa son premier sourire !

***

Tout se bousculait dans l'esprit de l'homme qui, quelques heures auparavant, se demandait s'il n'allait pas finir ses jours seul, complètement seul. Comment annoncer cette grande nouvelle à Suzanne, sans la bouleverser ? Et si elle n'arrivait pas à vaincre le cancer ? Il lui serait encore plus difficile d'accepter la mort... de renoncer à l'amour de cet enfant ! Devait-il attendre pour lui en parler ou lui reprocherait-elle de l'avoir privée encore davantage de la présence de ce petit ange dans leur vie ?

Il se donna 24 heures avant de prendre une décision. Le lendemain, pendant la sieste de Suzanne, il irait se recueillir à la chapelle miraculeuse et demanderait l'éclairage du Divin.

Avant même qu'il eût le temps de se rendre au sanctuaire, la vie se chargea de lui donner la réponse. Un appel de la secrétaire de l'oncologue les convoquait tous deux au cabinet du médecin le même jour, pour le compte rendu des résultats des derniers examens. Larry se promit d'annoncer la nouvelle à sa femme après la visite médicale. Quels que soient les résultats... il lui dirait !

Huit mois s'étaient écoulés depuis la tombée du diagnostic. La troisième série de traitements de radiothérapie et de chimiothérapie venait de prendre fin. Toutes les démarches possibles avaient été entreprises et suivies rigoureusement. Restait maintenant à savoir si la bataille était gagnée ou perdue.

Suzanne s'était préparée en se lovant dans sa bulle de lumière. Elle s'était promise que même si les résultats annonçaient le pire, elle continuerait à se battre pour le mieux. Larry l'accompagnait dans le même sens, tout en sachant bien que si le pronostique était complètement noir, il risquait d'y avoir une rechute insurmontable.

Lorsqu'ils entrèrent dans le bureau, le Dr Mercier se tenait debout, dossier en mains :

– Asseyez-vous, je vous en prie... je reviens tout de suite !

Il sortit alors pour vérifier quelques papiers du dossier avec un autre spécialiste qui avait aussi suivi la progression de la maladie. Les deux hommes revinrent, décontenancés.

– Écoutez, annonça le médecin traitant, nous avons dû vérifier trois fois plutôt qu'une ces résultats qui nous semblent tout à fait irréels. Nous n'avons jamais rien vu de pareil... votre cancer du sein, qui s'était développé jusqu'au stade quatre, est complètement disparu ainsi que toutes traces de métastases au foie et aux poumons !

Un silence sacré coupait l'annonce en deux...

– Chère Suzanne... vous pouvez vous compter parmi les miraculés de ce monde !

À l'instar du vainqueur franchissant la ligne d'arrivée, Suzanne s'effondra sur le bureau du médecin et pleura toute sa fatigue, ses peurs, son courage et son immense joie !

Son mari si aimant lui caressait le dos et les cheveux en remerciant Dieu et Zachary, pendant que des larmes de bonheur coulaient à travers son regard admiratif et amoureux !

Le lendemain matin, Larry couronna cette victoire par l'ultime cadeau ! Il lui raconta d'abord la première partie de sa rencontre avec Valérie et lui remit le poème de Zachary. Fébrilement, elle reçut l'enveloppe en fixant les quelques mots écrits de la main de son fils. À la seule lecture de « ma mère » son cœur se gonfla d'amour. Elle déplia précieusement le papier et lu à voix basse :

Ma mère c'est le soleil sur le glacier de mon cœur
C'est la source qui étanche ma soif
Le feu qui apaise mon angoisse
C'est la vie que je ne ressens plus et qui continuera sans moi
Maman, je t'aime... pardonne-moi !

Zachary

Suzanne serrait la lettre contre son cœur. Le mal à l'âme de Zachary transpirait à travers chaque mot de ce poème d'adieu. Il contenait tout : son intelligence, sa souffrance, son amour, sa détresse.

Elle le tendit à Larry en lui disant :

– C'est le plus triste et le plus beau de tous les poèmes du monde !

Larry lu en balançant sa tête tout au long de sa lecture. Ce mot venait boucler la boucle. Il venait bénir sa mère en lui demandant pardon et en lui disant qu'elle avait tout donné, tout fait, tout été pour lui. Émerveillé, il murmura :

– C'est incroyable ! Ce poème en plus du cadeau qu'il nous a fait, sans le savoir, juste avant de partir.

Suzanne ne comprenait pas. Elle haussa les épaules l'invitant à s'expliquer.

– Tu te souviens de la joie que nous avons vécue le jour où tu m'as annoncé que nous allions avoir un enfant ?

– Bien sûr, Larry !

– Alors, prépare-toi à revivre ce moment ma chérie... car je t'annonce que nous avons un petit-fils ! Un merveilleux petit garçon de trois ans, qui s'appelle Olivier Dunn et qui habite à deux pas d'ici !

Le visage rayonnant de bonheur, Suzanne ne fut pas si surprise. Comme un déjà-vu, ce moment lui était familier. Quelque part en son for intérieur, une partie d'elle-même attendait cette nouvelle de vie après la mort !

Chapitre treize

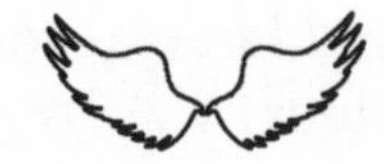

Lorsque, sur le podium, Sarah s'était fièrement inclinée pour recevoir la médaille d'or olympique en patinage artistique, son jeune frère Thomas, son père et sa mère applaudissaient triomphalement et criaient leur joie, les yeux remplis d'émotion. Elle avait embrassé la médaille et l'avait levée à bout de bras en lançant un baiser à Lulu, son ange, celle qui l'avait propulsée au bout de son rêve.

Dans son discours émouvant, la jeune athlète de 20 ans souligna les nombreux sacrifices, la générosité, la confiance avec lesquels ses parents l'avaient soutenue pour monter sur ce piédestal. « Mes parents m'ont appris l'amour et le respect de mon art et de moi-même. Ils m'ont aussi rappelé sans cesse l'importance de m'amuser avant tout et de donner le meilleur de moi à chaque instant », avait-elle précisé avec reconnaissance.

Ses derniers remerciements s'étaient adressés à Thomas: « Mon frère, sans toi je ne serais pas ici aujourd'hui. Je veux te dire à quel point je t'aime et je te promets que toute ma vie, je serai là pour toi, pour te remettre au centuple la confiance, l'admiration et l'amour que tu m'as donnés pendant toutes ces années d'entraînement et de compétition. Tu es un ange dans ma vie… et toi aussi, ma petite sœur, cria-t-elle en s'adressant aux étoiles. Merci à vous deux! Merci Papa, Maman... Je vous aime tous! »

La foule en délire acclamait la championne, tandis que Lulu et Raphaël, perchés sur les poutres du stade, saluaient le talent, la grâce et la beauté de la patineuse au sommet de la gloire! Jean-François tenait Élizabeth dans ses bras en chérissant ce moment de pur bonheur et en remerciant la vie pour tant de bénédictions.

Après la mort de Lulu, chaque membre de la famille avait vécu une forte poussée de croissance intérieure. Par sa nature éveillée, joviale et curieuse, le petit Thomas tenait allumé le flambeau de la conscience. En plus de grandir à une vitesse vertigineuse, il faisait grandir tout le monde autour de lui. Son charisme irrésistible et son intelligence du cœur témoignaient de l'empreinte de l'ange dans le passage d'une vie à l'autre.

Le voyage initiatique d'Élizabeth lui avait apporté une nouvelle vision par l'ouverture de son 3e œil ainsi que par les enseignements du grand maître. Son rêve d'ouvrir sa propre école de Yoga s'était réalisé un an après l'ultime rencontre avec la sagesse de Prassana.

Le chemin de guérison qu'avait choisi d'emprunter Jean-François l'avait mené vers la sérénité et l'équilibre. Après avoir franchi les étapes du déni, de la colère, de l'acceptation, du lâcher prise et l'amour de soi, l'homme jadis dépendant de ses émotions et des artifices qui lui faisaient croire qu'il serait mieux mort, pouvait maintenant goûter le bonheur de vivre et venir en aide aux autres par son simple rayonnement. C'est dans son atelier d'ébénisterie que, *par hasard*, il rencontrait à l'occasion des gens en besoin à qui il transmettait, à travers le récit de son parcours, des messages d'espoir et d'amour !

Après une victoire olympique, Sarah avait choisi de poursuivre sa carrière dans le monde de l'athlétisme à titre de professeur et d'entraîneur auprès des jeunes recrus. À l'âge de 19 ans, elle avait rencontré son amoureux Jonathan avec qui elle partageait maintenant sa vie depuis neuf ans. Le jeune homme était aussi un athlète de renommée internationale et ensemble, ils partageaient de grandes affinités et surtout beaucoup de tendresse et d'amour.

Ce soir-là, alors qu'Élizabeth et Jean-François écoutaient les nouvelles de fin de soirée, ils furent soudainement éblouis par le reflet des phares d'une voiture qui entrait en trombe dans la cour. Surpris, Jean-François se leva, regarda par la fenêtre et reconnut aussitôt la Jeep de Sarah. Il jeta un regard interrogateur à Élizabeth qui se questionnait tout autant que lui sur cette visite impromptue. Inquiets, ils se précipitèrent au-devant de leur fille. Avant même qu'elle puisse prononcer un seul mot, Jean-François s'empressa de lui demander :

– Est-ce que ça va ? Quelque chose est arrivé à Jonathan ?

L'amoureux de Sarah avait pris l'avion la veille pour New York où il devait y travailler pendant quelques jours. Étant donné leurs nombreux déplacements de part et d'autre, Sarah avait l'habitude des séparations temporaires. Toutefois, jamais elle ne s'était réfugiée chez ses parents pendant l'absence de Jonathan.

– Ça va Papa, calme-toi. Aie ! Maman... tu es toute pâle ! Mais dites donc... vous êtes vraiment surpris de me voir arriver comme ça, sans avertir... Ou peut-être que je vous dérange... ajouta-t-elle d'un air taquin !

Soulagés par l'humour de leur fille, ils se mirent à rire tout en se sentant un peu ridicules. « Quand on a perdu un enfant, on s'imagine vite le pire », se dit la maman rassurée.

– Avoue Sarah qu'il est assez rare que tu te pointes à la maison à 10h25 le dimanche soir ! rétorqua Jean-François, pour justifier leur inquiétude.

– Mais qu'est-ce qui t'amène... veux-tu dormir ici ? reprit Élizabeth.

– As-tu peur de rester seule chez toi ? Tu as l'habitude de...

– Non, mais allez-vous me laisser entrer quand même ?

Jean-François courut éteindre le téléviseur et s'assit sur le bord du canapé, tandis que Sarah et Élizabeth s'installaient à ses côtés.

– Je ne pouvais plus rester seule, c'est vrai ! Mais c'est pas parce que j'avais peur. C'est qu'il fallait que je parle à quelqu'un.

En l'espace de quelques secondes, Jean-François eut le temps de craindre la nouvelle d'une séparation, tandis qu'Élizabeth attendait calmement.

– Eh ! ben... vas-y, ma chérie... on t'écoute, dit vivement Jean-François à bout de nerfs.

Elle prit alors la main de son père d'un côté et celle de sa mère de l'autre en les serrant légèrement. Dans toute sa grâce, elle se redressa, leva légèrement le menton et les yeux brillants comme des diamants, elle leur dit :

– Papa… Maman… dans sept mois et demi vous allez être grands-parents !

Jean-François tomba à la renverse, les deux mains sur la tête ! Élizabeth criait de joie :

– Sarah, ma grande… c'est pas vrai ! C'est merveilleux… un bébé, mon amour, on va avoir un petit bébé !

Ils jubilaient, riaient, pleuraient tandis que Thomas descendait l'escalier en se frottant les yeux, ne se doutant pas qu'il serait bientôt oncle et parrain ! Dès qu'il eut franchi la dernière marche, sa grande sœur lui sauta au cou et lui dit tendrement à l'oreille :

– Je suis enceinte, Thomas ! Jonathan et moi, on va avoir un bébé… tu imagines, mon frèro… tu vas être *mon'oncle* !

– C'est pas vrai ? Sarah… maman ? Ah ! c'est cool… super cool ! J' suis content… c'est capoté ça !

Jean-François, toujours en état de choc sur le divan, ne cessait de se répéter :

– Sarah… notre petite Sarah va être maman ! Je vais être grand-père… merci, mon Dieu !

– Mais tu nous as rien dit? On n'avait même pas idée que vous aviez ce projet.

– Et bien! C'est-à-dire qu'on a pas eu le temps *d'avoir un projet* comme tu dis... tu vois, c'est une petite surprise!

Jean-François fronça les sourcils. Le syndrome de l'enfant non désiré... il connaissait! Au cours de sa thérapie, il avait dû revisiter ce passage intra-utérin où il avait passé quelques mois à l'ombre de la dépression de sa mère. Avec beaucoup de tact, il demanda à sa fille:

– Petite surprise ou grande déception, Sarah?

– Rassure-toi Papa... c'est une très belle surprise et tous les deux, on est très heureux. En fait, je devais faire le test de grossesse demain, mais je n'en pouvais plus d'attendre, alors je l'ai fait ce soir. J'ai aussitôt appelé Jonathan qui a eu la même réaction que moi et que vous autres. D'ailleurs, lui, il était prêt depuis un an, mais il attendait que je me décide et pour tout vous dire, je retardais à lui donner une réponse parce que j'avais peur de ne pas y arriver... de ne pas tomber enceinte...

Et elle prit la main d'Élizabeth entre les siennes...

– Comme toi, Maman! Je sais que tu es heureuse de nous avoir adoptées Lulu et moi, mais je sais aussi que ça été difficile tous ces essais, ces déceptions, les démarches d'adoption et la maladie de ma petite sœur.

Élizabeth prit sa fille dans ses bras si aimants et lui dit à l'oreille:

– Nos enfants ne sont pas nos enfants, ma chérie... ils sont les enfants de la Vie elle-même !

Elle prit ensuite son visage rougi entre ses mains chaudes, la regarda droit dans les yeux et ajouta :

– L'ange qui s'amène vient du Jardin des Enfants de Lumière. Il est le miracle de l'amour, de la création divine. Tu le portes en toi et c'est extraordinaire ! Lulu, Thomas et toi, vous venez tous de cette même source d'amour. Que je vous aie portés dans mon ventre ou dans mes bras pour vous amener dans notre vie ne fait aucune différence. Nous vous avons aimés, nous vous aimons et nous vous aimerons éternellement tous autant ! Tu seras une maman merveilleuse, ma chérie. Félicitations !

Jean-François se leva et ouvrit grands les bras à son aînée ! Sans mot dire, il caressa ses cheveux en la berçant doucement comme il le faisait pour la féliciter après chaque victoire. Puis, en prenant un léger recul, il posa sa main sur son ventre, ferma les yeux et bénit en silence la gestation de la nouvelle vie !

Thomas embrassa sa sœur sur le front, la félicita et retourna au lit :

– Excuse-moi, Sarah... j'ai de l'école demain et je dois me lever tôt pour étudier. J'ai fait la fête pas mal en fin de semaine... hein, m'man ?

Lorsque Sarah repartit, les futurs grands-parents s'enlacèrent tendrement, goûtant chaque minute du bonheur qui leur était donné de vivre !

Épilogue

Pendant ce temps, du haut de l'édifice qui avait vu naître Lulu à sa vie angélique, Raphaël préparait le passage de l'âme vers une nouvelle incarnation.

Le départ du petit ange vers son retour à la Terre se vivait en toute conscience. Le temps était venu de laisser repartir l'être de lumière avec tout son bagage d'évolution afin d'accomplir sa nouvelle mission terrestre.

La petite, dans sa grandeur d'âme, contemplait son rêve de rejoindre les siens tandis que Raphaël descendait l'*Échelle d'Or* le long du mur du gratte-ciel. Bien que ce voyage à la Terre réjouissait son cœur d'enfant, l'ange ressentait tout de même un chagrin à l'idée de quitter Raphaël avec qui elle avait vécu autant de belles guérisons que de missions merveilleuses.

– Nous serons toujours ensemble par la pensée, n'est-ce pas ? demanda-t-elle le cœur gros.

– Je tiendrai ton échelle jusqu'à ce que tu aies mis le pied au sol. Et lorsque tu seras rentrée chez toi, dans ton nouveau corps, tu sentiras ma présence.

– Et mes ailes… est-ce que je les apporterai avec moi ?

– Tes ailes, tu les auras toujours. La seule différence, c'est qu'elles ne seront pas visibles aux yeux des humains, sauf pour ceux qui seront comme toi des anges terrestres. Ceux-là reconnaîtront *l'Enfant de Cristal* que tu es et sauront t'accompagner dans ton plan de vie.

– Et est-ce que je peux savoir qu'elle est ma mission terrestre ?

– Tu es la seule à pouvoir choisir cette mission, mon ange ! Pendant ta descente, la voix divine de l'*Échelle d'Or* s'adressera à toi à nouveau, comme elle l'a fait pour ton ascension. Seul Dieu connaît le Grand Plan pour toi et comme à chaque vie que tu choisis, le plan se déroulera sous tes yeux au fur et à mesure que tu seras capable de le lire. L'essentiel est que tu saches que tu n'es jamais seule et qu'en même temps, tu es l'unique maître de ta vie !

– Est-ce que je ressentirai toujours ta présence à mes côtés ?

– Avant tout, tu devras t'assurer d'être présente à toi-même… toujours et en tous lieux. La présence à Soi est le meilleur gage de sécurité. L'amour de toi ne te fera jamais défaut puisqu'il génèrera de l'amour partout autour de toi. Tu observeras que les humains, en grande partie, recherchent constamment l'amour et la présence des autres pour s'occuper d'eux, les rassurer, les alimenter. Ils veulent ressentir la présence de leurs défunts et savoir qu'ils les aiment, tandis qu'ils sont complètement coupés, séparés d'eux-mêmes et qu'ils ne se connaissent pas et ne s'aiment pas. Comme ils s'abandonnent eux-mêmes, ils se sentent abandonnés des autres. Alors que si tu es présente à toi-même et que ta maman meurt par exemple, tu auras du chagrin certes, mais tu ne te sentiras pas abandonnée.

– Mais, si je ne suis qu'un tout petit bébé, est-ce que je pourrai comprendre tout ça ?

– Tu revêtiras un corps de nouveau-né, mais ton intelligence innée sera toujours allumée ! *Soi*, signifie l'intelligence divine, l'âme ou la conscience. Alors « être présent à *Soi* » c'est resté connecté à cette Divinité en nous.

– Alors si je comprends bien, *Soi* connaît bien ma mission terrestre et si je reste branchée à cette intelligence en moi, je pourrai suivre le Grand Plan sans problème.

– Et que feras-tu pour rester bien branchée à l'énergie divine en toi ?

Sans réponse, elle haussa les épaules et releva les sourcils.

– Tu pratiqueras chaque jour la conversation avec Soi. Tu entreras dans le silence de ton âme et tu écouteras la voix divine te parler de compassion, de joie, de santé, de générosité, de paix, de créativité, de détachement, de sagesse et d'amour !

– Mais est-ce que j'aurai du temps pour aller jouer dehors avec mes amis ?

Raphaël éclata de rire !

– La meilleure façon de rester connecté à Soi est de jouer, mon ange ! Voici donc le message le plus important à retenir :

« *La vie est un jeu… alors, n'arrête jamais de jouer !* »

Sur ces mots de sagesse et de joie, le passeur d'âmes lui présenta à nouveau l'*Échelle d'Or* et lui dit :

– Tu es prête ?

Dans la pureté de son âme si radieuse, Lulu déposa le pied sur la première marche et sans quitter des yeux son ange gardien, elle entreprit sa descente vers les siens, vers la Terre, vers le monde qui l'attendait !

La lumière de Raphaël l'accompagnerait tout au long de sa vie… *De l'Enfance au Paradis*.

Table des matières

Achevé d'imprimer au Canada
en avril 2011
sur les presses de l'Imprimerie Lebonfon inc.